QUESTIONS ET RÉPONSES SUR LA SANTÉ DE VOTRE CHIEN

Catalogage avant publication de
Bibliothèque et Archives Canada

Sinclair, Leslie
    Questions et réponses sur la santé de votre chien:
    des réponses simples à des questions courantes

    (Des animaux et des hommes)
    Traduction de: Ask the vet about dogs.

    1. Chiens – Santé – Miscellanées.   2. Chiens –
Miscellanées.   I. Titre.   II. Collection.

SF427.S5614 2006   636.7   C2006-941103-4

Pour en savoir davantage sur nos publications,
visitez notre site: **www.edjour.com**
Autres sites à visiter: www.edhomme.com
www.edtypo.com • www.edvlb.com
www.edhexagone.com • www.edutilis.com

06-06

© 2003, BowTie Press®

Traduction française:
© 2006, Le Jour, éditeur,
une division du groupe Sogides
(Montréal, Québec)

L'ouvrage original a été publié par BowTie Press®,
succursale de BowTie inc.,
sous le titre *Ask the Vet About Dogs*

Dépôt légal: 2006
Bibliothèque nationale du Québec

ISBN 10: 2-8904-4744-8
ISBN 13: 978-2-8904-4744-8

DISTRIBUTEURS EXCLUSIFS:

• Pour le Canada et les États-Unis:
    MESSAGERIES ADP*
    955, rue Amherst
    Montréal, Québec H2L 3K4
    Tél.: (514) 523-1182
    Télécopieur: (450) 674-6237
    * Filiale de Sogides ltée

• Pour la France et les autres pays:
    INTERFORUM
    Immeuble Paryseine, 3, Allée de la Seine
    94854 Ivry Cedex
    Tél.: 01 49 59 11 89/91
    Télécopieur: 01 49 59 11 33
    Commandes: Tél.: 02 38 32 71 00
                           Télécopieur: 02 38 32 71 28

• Pour la Suisse:
    INTERFORUM SUISSE
    Case postale 69 - 1701 Fribourg - Suisse
    Tél.: (41-26) 460-80-60
    Télécopieur: (41-26) 460-80-68
    Internet: www.havas.ch
    Email: office@havas.ch
    DISTRIBUTION: OLF SA
    Z.I. 3, Corminbœuf
    Case postale 1061
    CH-1701 FRIBOURG
    Commandes: Tél.: (41-26) 467-53-33
                           Télécopieur: (41-26) 467-54-66

• Pour la Belgique et le Luxembourg:
    INTERFORUM BENELUX
    Boulevard de l'Europe 117
    B-1301 Wavre
    Tél.: (010) 42-03-20
    Télécopieur: (010) 41-20-24
    http://www.vups.be
    Email: info@vups.be

Gouvernement du Québec – Programme de crédit d'impôt pour
l'édition de livres – Gestion SODEC – www.sodec.gouv.qc.ca

L'Éditeur bénéficie du soutien de la Société de développement des
entreprises culturelles du Québec pour son programme d'édition.

Nous reconnaissons l'aide financière du gouvernement du Canada
par l'entremise du Programme d'aide au développement de
l'industrie de l'édition (PADIÉ) pour nos activités d'édition.

Leslie Sinclair

QUESTIONS ET RÉPONSES SUR LA SANTÉ DE VOTRE CHIEN

*Traduit de l'américain
par Isabelle Chagnon*

 le jour,
éditeur

Introduction

Même si c'est un chat qui a jadis éveillé en moi le désir de devenir vétérinaire, mes premiers animaux de compagnie ont été deux caniches nommés Coco et Mitsi. Mes parents avaient offert Coco à mon frère alors que j'avais cinq ans, et j'ai reçu Mitsi à l'âge de neuf ans. Ces deux caniches n'avaient rien de la potiche de salon. Ils ont été nos fidèles compagnons, à mon frère et à moi, dans toutes les folles aventures de notre enfance, et ont fini par devenir de solides chiens de campagne que nous emmenions un peu partout avec nous en camionnette. À l'époque de mon adolescence, ils me tenaient compagnie lorsque, matin et soir, je trayais notre vache Guernsey.

Quand j'ai commencé mes études de médecine vétérinaire, j'ai compris que même si mes chiens avaient vécu très vieux, ils n'avaient pas bénéficié du type de soins de qualité que je prône aujourd'-hui pour mes patients canins. Nous ne les avons jamais fait castrer. Ils souffraient tous deux de problèmes dentaires, et, comme bien des gens, nous faisions des blagues sur leur haleine de chien sans savoir que nous aurions pu prévenir et traiter la maladie. Toutefois, je crois qu'ils ont eu en général une vie heureuse, et leur compagnie a certainement contribué à rendre la mienne plus agréable. Je ne blâme pas notre vétérinaire, ni mes parents, ni qui que ce soit pour ces lacunes ; tous ont fait de leur mieux pour prendre soin de nos chiens, qui faisaient partie de la famille au même titre que moi. Mais en y repensant, j'aurais souhaité que quelqu'un, à l'époque, refile à mes parents un livre tel que celui-ci, un livre qui aurait fourni des réponses aux nombreuses questions que nous ne pouvions même pas poser sur la promotion et la protection de la santé et du bien-être de nos chiens.

Dans le cadre de mon travail de collaboratrice à la revue canine *Dog Fancy* à titre de responsable de la chronique « Ask the Vet » (« Questions au vétérinaire »), je reçois chaque mois de nombreuses lettres. Le présent livre a été élaboré à partir des questions que mes lecteurs me posent le plus souvent. J'espère qu'il constituera pour vous un guide précieux que vous consulterez régulièrement au cours de la vie de votre chien, chaque fois que vous ferez face à de nouveaux problèmes ou que vous vous poserez de nouvelles questions sur les soins à donner à votre compagnon. Loin d'avoir été conçu pour remplacer votre vétérinaire et les services qu'elle ou il peut vous offrir, ce livre a pour objet d'expliquer certaines des maladies ou affections dont votre chien risque de souffrir. Si vous croyez que votre chien est malade ou blessé, il vous faut travailler en étroite collaboration avec votre vétérinaire pour favoriser le retour à la santé de votre animal. Même un vétérinaire aguerri ne peut diagnostiquer ou traiter une maladie sans avoir recours à des instruments spéciaux, à des tests et à des médicaments ; il vous faut donc éviter d'essayer de soigner votre chien vous-même sans l'aide du spécialiste qu'est votre vétérinaire.

Chapitre 1

....

Comportement et éducation

Quand je fréquentais l'école de médecine vétérinaire, il y a à peine plus de dix ans, l'étude du comportement animal n'était pas encore considérée comme un préalable à la pratique de la médecine vétérinaire. Mais bien des choses ont changé en une décennie. Il existe aujourd'hui un bureau d'agrément pour les vétérinaires qui souhaitent se spécialiser dans le diagnostic et le traitement des problèmes de comportement chez les animaux de compagnie. Les vétérinaires reconnaissent dorénavant qu'il est tout aussi important de se préoccuper de la santé comportementale d'un animal que de se préoccuper de sa santé physique. Si votre chien a un problème de comportement qui menace d'empoisonner votre relation avec lui, consultez votre vétérinaire pour obtenir de l'aide.

Q Comment puis-je savoir si mon chien souffre d'anxiété de séparation ?

R L'anxiété de séparation est un trouble du comportement canin qui est de mieux en mieux compris depuis quelques années. Les chiens qui en souffrent montrent un attachement excessif envers les membres de leur famille d'accueil. À la maison, ces chiens ne quittent pas leurs maîtres d'une semelle, présentent un comportement anxieux lorsque ces derniers se préparent à sortir et sont pris d'une détresse excessive quand ils sont laissés seuls. Lorsqu'ils sont seuls, ils aboient, hurlent, urinent n'importe où, détruisent les meubles et les accessoires de la maison et, dans bien des cas, tentent de franchir les obstacles physiques — notamment les portes et les fenêtres — qui les séparent de leurs humains bien-aimés. La plupart refusent de se nourrir avant le retour de leurs maîtres, peu importe la durée de leur absence.

Les chiens qui présentent des symptômes d'anxiété de séparation ne sont pas nécessairement tous atteints de ce trouble. En effet, un grand nombre de ces symptômes peuvent être attribuables à d'autres problèmes. Par exemple, un chien qui se soulage dans la maison lorsqu'il est laissé seul peut souffrir d'une infection urinaire qui le rend incapable de patienter jusqu'à ce qu'on lui fasse faire sa promenade. Un chien qui a tendance à détruire des meubles ou des objets peut tout simplement agir ainsi parce qu'il s'ennuie.

Un animal qui montre les symptômes de l'anxiété de séparation devrait être examiné à fond par le vétérinaire. Celui-ci procédera à des analyses de sang, notamment une formule sanguine et une analyse biochimique du sérum, ainsi qu'à une analyse d'urine pour éliminer toute possibilité de maladie. Une fois que le chien est déclaré en bonne santé, et que le vétérinaire a établi que les symptômes comportementaux correspondent bien à ceux de l'anxiété de séparation, un programme de traitement peut être prescrit.

Les propriétaires d'un chien souffrant d'anxiété de séparation contribuent souvent, sans le savoir, à entretenir le problème de leur compagnon en sympathisant ouvertement avec son sentiment de détresse. Ils lui font des adieux larmoyants avant de partir ou exécutent avec l'animal une joyeuse danse de retrouvailles à leur retour; or ces deux rituels renforcent chez le chien le sentiment qu'être séparé de son maître est une chose terrible. En revanche, s'il quitte la maison et s'il rentre en gardant une attitude nonchalante, peut-être même en ignorant le chien pendant vingt minutes avant le départ et après le retour, le maître contribue à faire comprendre à l'animal qu'être seul pendant quelque temps est une chose tout à fait normale dans une relation entre chiens et humains. Vous pouvez également encourager votre chien à devenir plus indépendant, même quand vous êtes avec lui. Incitez-le à faire une sieste ou à s'amuser avec un jouet dans une autre pièce et évitez de le récompenser en lui accordant de l'attention ou en lui donnant une friandise quand il vous suit d'une pièce à l'autre.

Si votre chien est gravement atteint, un traitement de désensibilisation peut s'avérer nécessaire. Commencez par laisser votre chien seul pendant environ quinze minutes, puis augmentez graduellement ce laps de temps, en vous assurant de quitter les lieux et de revenir en gardant une attitude calme et détachée. Au moment de partir, donnez à votre chien une friandise spéciale longue à manger pour le distraire de sa détresse.

Il existe plusieurs médicaments anxiolytiques qui peuvent soulager l'anxiété de séparation, mais les médicaments ne peuvent à eux seuls venir à bout du problème s'ils ne sont pas accompagnés des méthodes de modification du comportement décrites plus haut. La clomipramine (Clomicalm) est approuvée par la Food and Drug Administration (FDA) [organisme de réglementation des aliments et des médicaments aux États-Unis] pour le traitement de l'anxiété de séparation chez les chiens. On peut se procurer ce médicament avec une ordonnance du vétérinaire.

Q Comment puis-je empêcher mon chien d'aboyer constamment ?

R Les aboiements intempestifs constituent un problème de comportement courant qui devient particulièrement préoccupant pour les personnes qui ont des voisins très rapprochés. L'aboiement est un comportement naturel, et vous devriez laisser votre chien s'y adonner dans certaines circonstances bien précises.

Un chien qui aboie beaucoup en entendant une voiture se garer devant la maison ou la sonnette de la porte d'entrée agit probablement de la sorte pour protéger son territoire. Bien que ce comportement soit souhaitable, il se peut que votre chien soit incapable de discerner les amis des ennemis ou de comprendre quand il est temps de se calmer, surtout si vous encouragez chez lui ce réflexe de chien de garde. Certains chiens n'aboient pas pour défendre leur territoire, mais communiquent tout simplement ainsi leur joie d'avoir des visiteurs et leur envie de s'amuser.

Laissez votre chien annoncer l'arrivée d'un visiteur, mais ne lui permettez pas plus que trois aboiements, puis interrompez-le (si cela est nécessaire, vous pouvez secouer une boîte de conserve en aluminium remplie de petite monnaie) et ordonnez-lui de s'asseoir et de rester en place. Félicitez-le ou donnez-lui une friandise pour le récompenser de sa bonne conduite. Entre-temps, dans le cadre de son éducation, ordonnez-lui souvent de s'asseoir et de rester, même s'il n'y a personne à la porte, jusqu'à ce qu'il vous obéisse au doigt et à l'œil.

Si votre chien aboie ou hurle quand vous le laissez seul à la maison ou dans la cour, il est possible qu'il s'ennuie, qu'il se sente seul ou qu'il soit en détresse parce qu'il est séparé de vous (voir plus haut, la section « Comment puis-je savoir si mon chien souffre d'anxiété de séparation ? ») ; il se peut aussi qu'il essaie de communiquer avec les autres chiens du quartier. Assurez-vous de lui accorder suffisamment d'attention et de lui faire faire assez d'exercice. Les chiens plus jeunes (âgés de moins de trois ans) et ceux dont les ancêtres ont été spécifiquement entraînés pour demeurer très actifs, tels que les races nordiques, les chiens de troupeau et les races sportives, sont particulièrement susceptibles de s'ennuyer. Considérez les solutions suivantes : procurez-vous un jouet pour chien conçu spécialement pour divertir un animal qui est laissé seul ; engagez une personne qui viendra chez vous une fois par jour pour emmener votre chien faire une promenade énergique pendant votre absence ; laissez votre chien un jour par semaine ou plus dans une garderie canine de façon qu'il puisse faire de l'exercice et jouer tout son soûl.

Différents types de colliers anti-aboiement sont actuellement offerts sur le marché. Certains d'entre eux envoient un jet de

citronnelle (huile aromatique à l'odeur âcre extraite de l'herbe asia-
tique Cymbopogon nardus), d'autres émettent des ultrasons et
d'autres encore produisent une impulsion électrostatique. Ces
produits ont des résultats variables, selon la façon dont on les
utilise, mais ils ne règlent pas les problèmes qui sont à l'origine des
jappements. De même, la chirurgie consistant à enlever une partie
des cordes vocales du chien pour qu'il ne puisse plus aboyer à plein
volume (bien que certains chiens dévocalisés arrivent toujours à
faire passablement de bruit) ne modifiera en rien le comportement
de l'animal.

**Q Comment faire pour empêcher mon chien de creuser
des trous dans la cour?**

R Certains chiens adorent tout simplement creuser. Ils creusent
pour enterrer des objets, pour les déterrer, pour se réchauffer ou
se rafraîchir, pour s'amuser et même pour marquer leur territoire.
Certains chiens creusent le sol pour enterrer leurs excréments ou
leur urine, tout comme les chats. Pour bien des chiens, creuser
est une question d'instinct. Les races nordiques comme les huskies
et les malamutes creusent des trous pour se garder au frais quand
il fait chaud. Les terriers sont traditionnellement dressés pour
creuser des tunnels afin de débusquer les lapins et les rongeurs.
Grâce à leurs sens de l'odorat et de l'ouïe aiguisés, les chiens sont
capables de percevoir s'il y a quelque chose d'intéressant sous la
terre. Il leur arrive aussi, bien sûr, de creuser pour s'échapper.

Les chiens qui creusent des trous lorsque la température est
froide ont besoin d'un abri adéquat. Pour empêcher votre chien

de creuser pour se mettre au chaud, gardez-le à l'intérieur ou procurez-lui une niche étanche dotée d'une trappe à battant et d'une bonne quantité de paille sèche et propre dans laquelle il pourra se blottir (les couvertures deviennent trop rapidement humides et froides). Les chiens qui creusent par temps chaud ont besoin de beaucoup d'ombre et d'eau fraîche à boire ; ils peuvent aussi se rafraîchir au moyen d'un arroseur pour pelouse ou d'une petite pataugeoire.

Si votre chien creuse des trous pour s'échapper, demandez-vous quelles en sont les raisons. Fait-il assez d'exercice et obtient-il suffisamment d'attention ? Ne vous attendez pas à ce qu'il reste assis tranquillement sans rien faire pendant toute la journée. Même les chiens qui vivent au sein d'une maisonnée où il y a plusieurs animaux finissent par s'ennuyer et se sentir seuls quand ils sont laissés trop longtemps à eux-mêmes. Il vous faut répondre aux besoins mentaux et physiques de votre compagnon en l'emmenant faire une promenade au moins deux fois par jour. Faites-le entrer dans la maison avec toute la famille ou allez le rejoindre dans la cour. Emmenez-le au parc canin pour qu'il puisse jouer avec d'autres chiens et entrer en interaction avec d'autres humains. Procurez-lui des jouets et des jeux interactifs comme un gros ballon qu'il peut pousser avec son museau, des boîtes de carton ou des rampes de bois qu'il peut escalader et explorer ; donnez-lui aussi beaucoup de jouets à mâcher, en particulier ceux à l'intérieur desquels vous pouvez enfouir sa nourriture préférée.

Les chiens qui ne sont pas stérilisés sont parfois perturbés par la présence de chiens intacts dans le voisinage et peuvent creuser le sol dans le but de s'échapper et d'aller les rejoindre. En faisant stériliser votre animal, vous lui éviterez ce stress, sans compter que cette opération entraîne d'autres avantages sur le plan de la santé et du comportement.

Si votre chien semble vraiment aimer creuser le sol, donnez-lui un endroit pour le faire. Aménagez un espace séparé du reste de la cour par une paroi en bois, des briques de pavage ou autre chose. À l'aide d'une pelle, retournez le sol de l'emplacement choisi pour le rendre attrayant et enfouissez de la nourriture et des jouets dans la terre. Si votre chien se met à creuser ailleurs que dans cet emplacement, ramenez-le dans l'espace choisi et incitez-le de nouveau à creuser. Il comprendra vite, surtout si vous prenez l'habitude de dissimuler des friandises dans la terre sans qu'il s'en rende compte.

Évitez de recourir aux punitions physiques pour apprendre à votre chien à ne pas creuser, car vous ne réussirez qu'à lui faire peur. La propension de votre chien à creuser est souvent un signal de détresse pour vous indiquer qu'il est malheureux et qu'il a besoin de votre compréhension et d'une solution humaine. Si vous essayez de comprendre ce qu'il vous dit, votre chien en sera d'autant plus heureux ; de plus, vous aurez la vie plus facile et moins de trous dans votre parterre ou votre jardin.

Q Nous attendons bientôt un bébé. Comment devrions-nous préparer notre chien ?

R Avant la naissance d'un enfant, il y a souvent beaucoup à faire. Vous feriez mieux d'ajouter « Préparer le chien » à votre liste, car même si votre animal a un tempérament très calme, l'arrivée d'un bébé sera pour lui un événement majeur.

Commencez par rafraîchir la mémoire de votre chien en ce qui a trait aux diverses commandes auxquelles il doit savoir obéir. Considérez l'éducation à l'obéissance comme un moyen de communiquer avec votre chien — et une fois le bébé à la maison, vous aurez plus que jamais besoin de communiquer avec votre animal. Si ce n'est déjà fait, inscrivez-vous avec votre chien à un cours de dressage. Idéalement, tous les adultes et les enfants suffisamment grands de votre maisonnée devraient participer à l'éducation du chien. Votre chien devrait être capable de s'asseoir, de rester et de venir à vous sur commande, et de marcher calmement à vos côtés quand il est en laisse, autant d'aptitudes qui rendront la vie avec un chien et un bébé beaucoup plus sécuritaire et facile.

Ensuite, songez aux moyens que vous emploierez pour garder le bébé et le chien séparés l'un de l'autre. En effet, la seule alternative qui s'offre aux personnes qui vivent avec un bébé et un chien est la suivante : superviser ou séparer. Cela est particulièrement important lorsque le bébé commence à se déplacer par lui-même et devient capable de s'approcher de l'animal, mais cela importe aussi lorsque le bébé est encore un nourrisson sans défense. Il est triste de constater que, chaque année, un petit nombre de nouveau-nés sont tués par le chien de la famille. Les chiens ne sont habituellement pas agressifs, mais agissent plutôt pour protéger l'enfant ; par exemple, si ce dernier pleure, certains d'entre eux vont tenter de le transporter vers les parents. D'autres chiens à l'instinct prédateur voient l'enfant comme un petit animal tel un écureuil ou un lapin. Vous devez donc surveiller de près les gros chiens robustes et ceux qui ont un fort instinct prédateur. Ne laissez jamais un chien seul avec un nouveau-né (même s'il y a un adulte dans la pièce voisine qui surveille à distance au moyen d'un interphone) et ne le laissez jamais dormir dans la même pièce que l'enfant. Choisissez pour votre chien un endroit sécuritaire qui n'est pas trop éloigné des pièces où évolue l'ensemble de la maisonnée, mais où vous pouvez aisément le confiner. Vous pouvez apprendre à votre chien à rester dans sa cage ou le confiner dans un endroit sûr chaque fois que vous n'êtes pas en mesure de surveiller ses interactions avec l'enfant.

Mais surtout, ne négligez pas votre chien au moment de l'arrivée du bébé à la maison. Assurez-vous de lui accorder toute l'attention dont il a besoin, de lui procurer des possibilités d'interaction avec ses congénères et de lui faire faire amplement d'exercice, autant de choses qui l'aideront à faire face aux bouleversements qui se produisent dans votre foyer.

Q Est-ce que je devrais apprendre à mon chien à rester dans sa cage ?

R   En un mot, oui. Il surviendra inévitablement dans la vie de votre chien des circonstances où celui-ci devra demeurer confiné en lieu sûr. Ainsi, il lui faudra à l'occasion être hospitalisé. Il se peut aussi qu'il voyage avec vous en voiture ou en avion. Vous pourriez devoir le garder confiné pour assurer sa sécurité lorsque vous l'emmènerez dans un environnement qui ne lui est pas familier, comme la maison d'un ami qui n'est pas aménagée en fonction de la présence d'un chien. Il se peut qu'il doive être confiné lorsqu'il est mis en pension ou lors des séances de toilettage. Et vous devrez le mettre à l'abri si vous avez le malheur d'être victime d'un désastre comme un incendie ou une inondation et d'avoir besoin de secours ou d'hébergement temporaire.

Il est possible d'apprendre à un chien de n'importe quel âge à rester dans sa cage; cela vous sera très utile pendant l'apprentissage de la propreté, qu'il s'agisse d'un chiot ou d'un chien adulte récemment adopté. Le temps nécessaire pour qu'un chien apprenne à rester dans sa cage dépend de son âge, de ses expériences antérieures avec la cage et de son tempérament. Certains chiens et chiots apprennent en quelques jours, mais la plupart nécessitent qu'on y consacre un peu plus de temps et d'effort.

Votre attitude face à la cage de votre chien influera grandement sur le rapport qu'il entretiendra avec elle. La cage de votre animal devrait constituer pour lui son repaire et son refuge, un endroit où il peut se mettre à l'abri et trouver de la délicieuse nourriture ainsi qu'une couche confortable. Comme votre chien ne devrait pas éprouver de peur ou de dédain face à sa cage, vous devez vous assurer de ne jamais l'y confiner en guise de punition. S'il le faut, désignez un lieu de pénitence ailleurs dans la maison. Placez la cage dans un endroit où la température est adéquate (et non dans un garage glacial) et qui se trouve à proximité, mais non au centre, de la zone d'activité de votre maison. N'oubliez pas que le chien est un être social et qu'il faut éviter d'utiliser sa cage pour l'éloigner des autres membres de la famille. Procurez-vous une cage en métal ou le type de cage de plastique employée pour transporter les chiens en avion. Assurez-vous que le chien a suffisamment d'espace pour se tenir debout, se retourner, s'étirer et respirer confortablement.

Lorsque vous commencez à éduquer votre chien pour qu'il reste dans sa cage, donnez-lui ses repas dans la cage. S'il a peur d'y pénétrer, placez le bol de nourriture juste à l'entrée, à l'intérieur, puis déplacez-le graduellement vers l'arrière de la cage. Une fois que le chien arrive à s'alimenter dans la cage sans problèmes, commencez à fermer la porte pendant qu'il mange. S'il prend peur à un moment ou à un autre du processus, revenez en arrière et recommencez en introduisant les changements plus lentement. Laissez votre chien dans la cage pendant des périodes de plus en plus longues, en augmentant ces périodes de trente minutes à la fois. Ne faites jamais sortir votre chien de la cage quand il se met à se lamenter ou à aboyer. Attendez qu'il s'arrête pour lui faire comprendre qu'un comportement calme lui vaudra une récompense.

Pendant combien de temps un chien devrait-il rester dans sa cage? En règle générale, les chiots peuvent rester dans leur cage pendant un nombre d'heures équivalant à leur âge en mois plus un. Ainsi, un chiot de deux mois pourra rester dans sa cage pendant trois heures, un chiot de quatre mois, pendant cinq heures, et ainsi de suite. Étant donné qu'un chiot n'est capable de se retenir d'évacuer que pendant à peine quelques heures à la fois, placez la cage près de votre lit pour que vous puissiez vous réveiller en même temps que l'animal et aller le promener pour qu'il fasse ses besoins.

Les chiens adultes qui n'ont jamais fait l'expérience de la cage ont besoin de temps pour s'acclimater à cet endroit, tout comme les chiots. Ne faites pas l'erreur de laisser un chiot ou chien adulte nouvellement adopté dans une cage pendant neuf ou dix heures d'affilée. Vous obtiendrez comme résultat un chien misérable qui apprendra à détester sa cage en plus d'y uriner et d'y déféquer parce qu'il n'a pas le choix. Passez à la maison à toutes les quelques heures, ou demandez à un ami fiable, à un voisin ou à un gardien professionnel de le faire, pour vous assurer que le chien s'habitue bien à sa cage et pour le promener afin qu'il puisse faire ses besoins. La plupart des chiens adultes finissent par être capables de rester confortablement confinés pendant une période pouvant aller jusqu'à huit heures, mais n'oubliez pas que l'utilité de la cage est de faciliter l'apprentissage de la propreté, de fournir au chien un endroit où il peut se réfugier loin du brouhaha de la maison et de lui apprendre à rester dans un espace restreint. L'objectif ultime, toutefois, est de faire en sorte que le chien se sente confortable et en sécurité lorsqu'il est laissé seul dans la maison en l'absence de son maître ; il ne devrait donc pas avoir à passer de longues heures du jour et de la nuit confiné contre son gré. Une fois que votre chien aura assimilé les règles de la propreté et celles de la maison, vous pourrez lui laisser plus de liberté en votre absence et durant la nuit.

Q Comment procéder pour inculquer à mon chien les règles de la propreté ?

R L'apprentissage de la propreté est probablement l'aspect le plus important de la gestion du comportement canin, et souvent aussi le plus difficile. Trop souvent, c'est parce qu'il n'est pas propre qu'un chien est abandonné dans un refuge pour animaux ou expulsé du foyer. Si bien des chiens semblent connaître d'emblée les règles de la propreté, d'autres ont plus de difficulté à les assimiler. Que vous tentiez d'apprendre la propreté à un chiot ou à un chien adulte récemment adopté, la clé du succès consiste à faire preuve de persévérance et de patience. Soyez prêt à consacrer quelques jours ou même quelques semaines à cette éducation et n'oubliez pas qu'en dépit de la qualité de vos enseignements il y aura inévitablement des accidents qui vous obligeront à nettoyer des salissures.

Pour commencer, instituez un horaire régulier pour les repas de votre chiot ou de votre chien adulte. Nourrissez les chiots trois ou quatre fois par jour et les chiens adultes deux fois. Ne limitez jamais la consommation de nourriture ou d'eau de votre chien dans le but de réduire l'élimination d'urine ou de selles.

Déterminez un endroit où votre chien devra faire ses besoins. Idéalement, choisissez un lieu situé à l'extérieur, pas trop loin de la maison. Mettez votre animal en laisse et emmenez-le à l'endroit choisi dès le réveil, immédiatement après le repas et après une séance de jeu. Félicitez-le abondamment lorsqu'il se soulage et donnez-lui une petite friandise. Évitez de jouer à l'extérieur avant qu'il ait fait ses besoins, sinon il sera plus intéressé au jeu qu'à l'élimination et attendra d'être rentré à la maison pour se soulager.

Lorsque votre chiot ou votre chien s'échappe dans la maison, évitez de le punir. Si vous découvrez les salissures après coup, il est trop tard pour que l'animal puisse faire le lien entre le dégât et votre punition. En effet, les chiens n'ont pas une très bonne mémoire à long terme et ne se souviennent pratiquement jamais de ce qu'ils ont fait trois secondes plus tôt. Un chien qui agit « comme s'il savait qu'il vient de faire une bêtise » ne fait que réagir à votre posture intimidante ou à votre ton menaçant. Ne lui frottez pas le museau dans ses déjections, car cela ne contribuera qu'à susciter chez lui un sentiment de crainte à votre égard. Au lieu de cela, emmenez-le à l'extérieur au cas où il n'aurait pas terminé ses besoins, puis éloignez-le pendant que vous nettoyez les salissures pour éviter qu'il perçoive votre frustration. Si vous surprenez votre chien en train de se soulager dans la maison, attirez son attention en produisant un bruit peu menaçant (par exemple, en frappant dans les mains) et emmenez-le à l'extérieur à l'endroit choisi pour l'élimination, sans le gronder ; ne ménagez pas vos félicitations s'il termine ses besoins à l'endroit approprié.

Entre les promenades à l'extérieur, gardez un œil sur votre chien ou confinez-le dans une cage où il n'y a que l'espace suffisant pour son lit et son plat de nourriture ou d'eau. Emmenez-le dehors à toutes les deux heures environ ou chaque fois que vous remarquez qu'il se met à sentir partout et à tourner en rond comme s'il s'apprêtait à se soulager.

Et qu'en est-il de l'usage de papier journal ou de litière pour chien ? Même si vous devriez emmener votre nouveau chien à l'extérieur à toutes les deux heures environ pendant sa période d'apprentissage de la propreté, bien des gens n'ont pas la possibilité de le faire. Or il est impossible que des chiots de moins de neuf mois et des chiens adultes qui ne sont pas encore propres arrivent à se retenir pendant les huit heures que vous passez au travail. Les chiens plus âgés et ceux qui souffrent de problèmes urinaires peuvent également avoir de la difficulté à attendre aussi longtemps avant de pouvoir se soulager. Il existe une solution, qui pourrait consister à engager un promeneur de chiens professionnel ou à demander à un ami ou à un voisin en qui vous avez confiance d'emmener votre animal faire une promenade en votre absence; le recours au papier journal ou à la litière de chien est une autre solution. Si vous vivez dans une tour d'habitation, vous devriez peut-être enseigner à votre chien à faire ses besoins à l'intérieur dans un endroit désigné à cet effet où se trouve du papier journal ou de la litière.

Sachez toutefois qu'en apprenant à votre chien à éliminer sur du papier journal, des serviettes pour chien (de grandes serviettes absorbantes conçues spécialement à cet effet, offertes partout où l'on vend des articles pour animaux de compagnie) ou de la litière, vous aurez plus de difficulté à lui enseigner à faire ses besoins à l'extérieur. En effet, les chiens qui ont l'habitude de se soulager à l'intérieur sont parfois hésitants à le faire à l'extérieur.

Pour apprendre à un chiot ou à un chien adulte à utiliser du papier journal ou des serviettes, confinez-le dans un endroit juste assez grand pour loger un lit, de la nourriture, de l'eau et le nécessaire d'élimination. Comme l'animal ne voudra pas souiller sa couchette ou sa nourriture, il fera ses besoins à l'endroit approprié. Une fois que le chien a appris à utiliser adéquatement le papier ou les serviettes, donnez-lui progressivement accès à un espace plus vaste. Normalement, il retournera au papier ou à la serviette quand viendra le temps de se soulager.

Pour apprendre à un chiot ou à un chien adulte à utiliser la litière, vous pouvez avoir recours à la méthode du confinement que je viens de décrire ou traiter la litière de la même façon qu'un lieu d'élimination extérieur; emmenez-y l'animal chaque fois qu'il aura besoin de se soulager et félicitez-le abondamment quand il s'est exécuté.

Si, en dépit d'un entraînement rigoureux, votre chien continue de se soulager à des endroits inappropriés, consultez votre vétérinaire. La présence d'une infection urinaire, d'une anomalie anatomique, d'un parasite ou d'un autre problème pourrait expliquer l'échec de vos efforts.

Q Comment faire pour empêcher mon chien d'uriner chaque fois qu'il est surexcité ou qu'il rencontre quelqu'un de nouveau ?

R   Les chiots manifestent souvent leur soumission aux chiens plus âgés et aux humains en s'accroupissant et en urinant aussitôt qu'on s'approche d'eux. Il leur arrive même de remuer la queue ou de se rouler sur le dos tout en urinant. Certains chiots agissent ainsi quand ils sont surexcités et peuvent maintenir ce comportement jusqu'au début de l'âge adulte. Dans la plupart des cas, il s'agit d'un comportement normal qui prend habituellement fin lorsque le chiot grandit et acquiert plus d'assurance. Toutefois, une miction involontaire peut signaler la présence d'une infection urinaire, trouble qui nuit à la capacité du chien à se retenir. Vous devez donc emmener votre chien chez le vétérinaire pour lui faire subir des examens (notamment une analyse d'urine) afin de déterminer si la cause de son comportement est de nature médicale. Certaines anomalies anatomiques peuvent aussi compromettre la capacité d'un chien à maîtriser ses envies ou à retenir un volume d'urine normal, mais elles sont plutôt rares.

En supposant que votre chien ne souffre pas d'un trouble d'ordre médical, il existe un certain nombre de moyens pour mettre fin aux mictions de soumission. Pour commencer, essayez de réduire au minimum vos interactions avec l'animal aux moments où la miction est le plus susceptible de se produire. Par exemple, si votre chien a l'habitude d'uriner quand vous rentrez à la maison après une période d'absence, ne vous occupez pas de lui pendant quelques minutes quand vous pénétrez dans la maison. Évitez de le regarder dans les yeux et si vous avez un endroit sécuritaire où vous pouvez l'emmener sans avoir à le tenir en laisse, ouvrez tout simplement la porte et sortez avec lui. Le fait de se tenir à côté d'un chien avec une laisse à la main et dans une posture vaguement menaçante peut s'avérer très intimidant pour l'animal. Or il arrive couramment aux chiens qui ont une propension à la miction de soumission de perdre le contrôle dans ce type de circonstances, en particulier s'ils ont attendu patiemment pendant plusieurs heures pour se vider la vessie. Lorsque des amis et des membres de la famille prévoient vous rendre visite, demandez-leur au préalable d'ignorer le chien et de laisser celui-ci venir à eux et amorcer l'interaction. Vos visiteurs apprécieront de ne pas devoir retourner chez eux avec des chaussures mouillées et des pantalons souillés qu'ils devront apporter chez le nettoyeur !

Ne tentez jamais de punir physiquement ou verbalement ou d'intimider un chien qui a une tendance à la miction de soumission ; son comportement indique déjà à quel point il a une faible estime de lui-même, et il est peu probable qu'il possède l'assurance nécessaire pour supporter ce type de punition (peu de chiens réagissent favorablement à ce genre de méthode, de toute façon). Concentrez-vous plutôt sur l'éducation de l'animal, en ayant recours à des récompenses comme des friandises et de l'attention.

Q Pourquoi mon chien a-t-il peur de se faire couper les griffes ?

R Vous croyez probablement que la coupe des griffes relève plus du toilettage que du comportement. Mentionnons tout d'abord qu'une négligence dans ce domaine risque d'entraîner la fente des griffes et des infections ; il peut aussi arriver que les griffes deviennent si longues qu'elles pénètrent à l'intérieur du coussinet. Il devient alors nécessaire d'anesthésier le chien simplement pour lui faire son « pédicurage » mensuel. Certains chiens ont peur de se faire couper les griffes parce qu'on leur a déjà fait mal au cours de cette opération, tandis que d'autres éprouvent tout simplement une aversion naturelle pour cette intervention. Un chien au tempérament très dominant peut avoir des réticences à se faire couper les griffes parce qu'il se sent menacé. Si votre chien présente les caractéristiques d'un chien dominant, par exemple s'il grogne quand vous le croisez dans le couloir ou agit de façon agressive lorsque vous touchez à son bol de nourriture, consultez votre vétérinaire, un comportementaliste ou un dresseur de chiens qualifié afin de connaître les méthodes à employer pour corriger ce type de problème.

Si votre chien craint de se faire couper les griffes, essayez des programmes de désensibilisation et de contre-conditionnement. Pour le désensibiliser, commencez par lui manipuler les pattes très doucement au cours de la journée, pendant des périodes de trente secondes à la fois. Augmentez graduellement le temps consacré à cette activité ainsi que la pression appliquée sur les pattes, jusqu'à ce que vous soyez capable de tenir les doigts de votre animal comme si vous étiez sur le point de lui couper les griffes. Si votre chien donne des signes de peur, c'est que vous êtes allé trop loin trop vite. Lorsque vos manipulations ne semblent plus le perturber, touchez-lui légèrement les doigts avec le coupe-ongle ; peu à peu, votre animal finira par tolérer que vous lui coupiez une griffe, puis plusieurs.

Le contre-conditionnement consiste à offrir des friandises alimentaires au chien et à lui prodiguer de chaleureuses félicitations à toutes les étapes du processus, afin de l'aider à faire une association entre coupe des griffes et expérience agréable. N'abandonnez pas, car ce processus peut prendre des semaines ou des mois.

Q Pourquoi mon chien a-t-il peur des orages ou des feux d'artifice ?

R La peur de certains phénomènes tels que les bruits retentissants est normale chez tous les animaux, mais une réaction de peur excessive s'apparente à la phobie. Chez les chiens, la phobie du bruit, des orages électriques ou d'autres phénomènes est assez répandue. Les experts en comportement animal disent que les chiens ont la phobie des orages en raison du bruit ou d'autres phénomènes accompagnant l'orage comme les éclairs, le vent ou les variations de pression barométrique.

Certains chiens ont des phobies si prononcées qu'il leur arrive de se blesser en essayant de fuir le bruit ou la tempête. Un comportementaliste pourra vous aider à élaborer un programme de désensibilisation (réduire la peur en exposant le chien à des doses graduelles de bruit) et de contre-conditionnement. Les sédatifs ou les médicaments anxiolytiques peuvent s'avérer utiles pendant la période où vous tentez de modifier le comportement de votre chien, mais ils ne peuvent résoudre le problème à eux seuls. Consultez votre vétérinaire afin qu'il vous adresse à un comportementaliste ou à un spécialiste du comportement animal de votre quartier, qui sera en mesure de vous aider à établir un plan d'action. En attendant, procurez-vous un exemplaire du livre The Dog Who Loved Too Much : Tales, Treatments, and the Psychology of Dogs, du vétérinaire comportementaliste Nicholas Dodman. Ce livre contient de précieux renseignements sur les phobies canines ainsi que sur de nombreux autres troubles du comportement chez les chiens.

Q Pourquoi mon chien castré essaie-t-il de chevaucher d'autres chiens et même des personnes ?

R   Vous n'avez pas à avoir honte si votre chien a tendance à monter d'autres chiens ou à chevaucher la jambe de vos invités ; bien des propriétaires de chiens font face à la même situation. Tant les mâles que les femelles peuvent adopter ce comportement. Dans la plupart des cas, votre chien cherche à vous montrer qu'il est le maître de la maison ou à attirer votre attention. S'il présente d'autres signes d'un tempérament dominant, comme s'il grogne ou s'il tente de mordre quand vous touchez à sa nourriture, quand vous le croisez ou quand vous essayez de lui enfiler son collier, il se peut qu'il ait un problème de dominance. Discutez des méthodes permettant de gérer ou de modifier son comportement avec votre vétérinaire, un dresseur qualifié ou un spécialiste du comportement animal.

Si votre chien ne montre aucun signe de dominance ou d'agressivité, il est possible qu'il recherche tout simplement de l'attention. Bien des chiens apprécient même l'attention négative qu'ils obtiennent de la part des membres de leur famille d'adoption, qui sont souvent embarrassés par leur comportement et supplient l'animal d'arrêter. La première chose à faire est de ne porter aucune attention au chien lorsqu'il a ce comportement, tant que celui-ci ne dérange personne d'autre. La deuxième est de décider ce que vous préféreriez que votre chien fasse dans de telles circonstances et de lui demander de le faire. Par exemple, quand il commence à montrer des signes de surexcitation et à chevaucher la jambe des invités, demandez-lui plutôt de s'asseoir et d'attendre sans bouger jusqu'à ce que vous lui donniez une friandise ou des caresses. Il comprendra rapidement que votre petit jeu est beaucoup plus amusant que le sien. Songez aussi à réduire le degré d'excitation des situations qui incitent votre chien à vous chevaucher la jambe. Ne lui faites pas trop la fête quand vous rentrez à la maison, si c'est à ce moment-là qu'il a tendance à adopter ce comportement indésirable. Assurez-vous qu'il bénéficie de suffisamment d'activités sociales et d'exercice, car ce besoin excessif d'attention est souvent le signe que votre animal s'ennuie.

Q Comment puis-je empêcher mon chien de quémander de la nourriture pendant les repas?

R La meilleure façon d'empêcher votre chien de quémander de la nourriture autour de la table est, en premier lieu, de ne jamais le laisser adopter ce comportement. Freinez cet élan dès le départ en ne donnant jamais à votre chien des restes de table ou des morceaux de nourriture lorsque vous êtes en train de manger. N'oubliez pas que votre chien apprend à se comporter en fonction des signaux que vous lui transmettez. S'il quémande un morceau de la nourriture qui se trouve dans votre assiette et que vous le lui donnez, cela équivaut à récompenser son comportement, donc à l'encourager. Par ailleurs, en plus de constituer une nuisance, cette habitude de quémander de la nourriture peut présenter des dangers pour votre chien. En effet, la nourriture que mangent les humains n'est pas toujours propre à la consommation canine et risque de nuire à la santé de votre animal, ou à tout le moins de lui causer des problèmes de digestion.

Cependant, il est normal que l'odeur de votre repas stimule l'appétit de votre chien. Donnez-lui, juste avant de vous attabler pour manger, sa ration de nourriture ou encore un jouet à mâcher — du type que l'on peut remplir avec de la nourriture ou des friandises — pour le tenir occupé. Il pourrait aussi se révéler nécessaire de confiner votre chien dans une partie de la maison avant que vous et votre famille ne vous assoyiez à table pour prendre votre repas. Vous pouvez également emmener votre compagnon faire une promenade rapide ou une autre forme d'exercice avant le repas pour l'inciter à se détendre et à se reposer pendant que vous vous restaurez.

Q J'aimerais emmener mon chien un après-midi au parc canin. Comment le préparer à cette nouvelle expérience ?

R La plupart des chiens adorent les parcs canins parce qu'ils peuvent s'y ébattre en toute liberté (sous votre supervision, bien sûr) et jouer avec d'autres chiens sans s'empêtrer dans leur laisse. Le parc canin est l'endroit idéal pour permettre à votre compagnon de mettre en pratique ses aptitudes sociales, car il y fait la rencontre de nombreux types de chiens et de personnes. Consultez l'organisme qui gère les parcs de votre région afin d'obtenir une liste des espaces réservés aux chiens situés à proximité de votre domicile.

Il est préférable que votre chien sache obéir aux commandements de base (viens, assis, reste) avant que vous l'emmeniez au parc canin. Étant donné que les ordres que vous lui adresserez verbalement seront votre principal moyen de maîtriser votre animal une fois sa laisse enlevée, vous devrez faire quelques exercices d'obéissance avec votre chien avant de l'emmener au parc. Si vous n'êtes pas trop certain de la façon dont votre chien réagira à cette nouvelle forme de liberté, faites un premier essai au parc canin en le gardant en laisse, histoire de voir comment il se comporte avec ses congénères. Si vous vous sentez en confiance, détachez l'animal et regardez-le s'ébattre.

Quel que soit le degré d'obéissance de votre chien, gardez toujours sa laisse en poche de façon à pouvoir le restreindre s'il devient trop turbulent ou s'il fait preuve de trop de rudesse dans sa façon de jouer. Apportez des friandises et un bol compressible ainsi qu'une bouteille d'eau pour remplir le bol au cas où il n'y aurait pas de fontaine sur place.

Chapitre 2

. . . .

Alimentation et digestion

omme les Américains ne sont pas très forts en ce qui a trait à l'élaboration de menus équilibrés, les chaînes de restauration rapide connaissent une énorme popularité, et un pourcentage croissant de la population fait de l'embonpoint. On croit souvent que, pour nourrir son chien, il suffit d'attraper au passage un sac de nourriture sèche sur l'étagère de l'épicerie. Or les propriétaires de chiens doivent en connaître bien davantage sur l'alimentation canine et la digestion. Les questions qui suivent portent sur les principes de base de la nutrition canine et sur les problèmes alimentaires chez les chiens.

Q **Est-ce possible que les problèmes de peau dont souffre mon chien soient attribuables à une allergie alimentaire ? Comment peut-on diagnostiquer et traiter ce type de problème ?**

R Environ 15 % de toutes les maladies allergiques de la peau chez les chiens sont causées par une allergie ou hypersensibilité à une substance alimentaire. Les symptômes comprennent les démangeaisons et les rougeurs cutanées, l'apparition de croûtes et de plaies, la perte de poils à certains endroits (localisée) ou sur tout le corps (généralisée), les infections chroniques des oreilles et l'apparition de taches brunes sur le pelage causées par la salive qui s'écoule lorsque le chien mordille les foyers de démangeaison, en particulier sur les pattes et les doigts. Une fois qu'une allergie alimentaire a déclenché une irritation de la peau, une infection secondaire due à une bactérie ou à une levure peut survenir, ce qui ajoute à la complexité de l'affection.

Les chiens deviennent parfois allergiques à un ingrédient particulier de leur régime alimentaire, habituellement une protéine. Le bœuf, les produits laitiers, le blé, le poulet et le porc sont les aliments le plus souvent en cause. Votre vétérinaire doit commencer par éliminer les autres causes possibles de l'irritation, comme une infestation d'acariens de la gale ou une allergie aux piqûres de puces, à l'herbe ou au pollen. Une fois les autres causes exclues ou traitées, un régime d'élimination est employé pour diagnostiquer une hypersensibilité à la nourriture. Étant donné que les chiens ne deviennent hypersensibles qu'aux aliments qu'ils ont déjà consommés, pour s'assurer que les symptômes sont bel et bien causés par une hypersensibilité alimentaire, le régime d'élimination doit être constitué de protéines et d'hydrates de carbone que le chien n'a jamais absorbés. Il peut s'agir de protéines comme l'agneau, le gibier, le poisson maigre, le saumon ou le canard, de protéines qui ont été modifiées pour que le système immunitaire du chien ne puisse les reconnaître ou d'hydrates de carbone comme le riz, les patates douces et le soja.

Le chien ne doit manger que la nourriture prévue dans le régime d'élimination pendant douze semaines ou plus. S'il est allergique à un ou plusieurs des ingrédients qui ont été éliminés de son alimentation, l'état de sa peau s'améliorera de façon notable pendant la période où il observera le régime. Si aucune amélioration ne survient, cela signifie que l'hypersensibilité alimentaire n'est pas la source du problème. S'il y a amélioration, on a recours à un régime de confirmation (les ingrédients soupçonnés sont réintroduits un à un et on surveille attentivement le chien pour voir si les symptômes reviennent) afin de déterminer quel est l'allergène.

Si l'ingrédient qui est à l'origine de l'hypersensibilité alimentaire peut être identifié, puis éliminé de l'alimentation, le pronostic de guérison de la dermatite est bon. Les gens qui vivent avec un chien souffrant d'une allergie alimentaire ne doivent pas oublier que des petites gâteries en apparence inoffensives peuvent contenir l'ingrédient allergène et provoquer chez le chien un nouvel épisode de dermatite. Le chien peut aussi acquérir par la suite une hypersensibilité à une nouvelle substance nécessitant le recours à un autre régime d'élimination, mais cela arrive rarement. (Pour en savoir davantage sur les allergies, voir le chapitre 8, « L'état de santé général », la section « Qu'est-ce que l'atopie et comment la traite-t-on ? »)

Q Quel type de nourriture devrais-je donner à mon chien ?

R Les produits alimentaires pour chiens que l'on trouve dans les épiceries ou les animaleries sont souvent offerts en une multitude de variétés, et il n'est pas surprenant que les gens ne sachent plus quoi acheter. Il existe trois catégories de base d'aliments pour chiens offertes sur le marché : la nourriture de marque générique, celle des grandes marques et les aliments haut de gamme.

La nourriture générique est vendue dans les magasins à prix réduits, les magasins-entrepôts et les épiceries ; ces produits ont souvent des noms plutôt quelconques ou portent le nom du magasin. Si l'information nutritionnelle qui figure sur l'étiquette des sacs ou des boîtes de nourriture générique indique souvent une teneur en protéines, en matières grasses et en hydrates de carbone qui peut convenir à votre chien, le problème réside dans la digestibilité de ces ingrédients. En effet, de nombreuses nourritures génériques sont composées d'ingrédients de si piètre qualité qu'elles ne peuvent procurer à un chien en santé tous les éléments nutritifs dont il a besoin.

Les aliments des grandes marques sont vendus en épicerie ainsi que dans les animaleries et font l'objet d'une abondante publicité. Ces aliments répondent aux besoins nutritifs de la plupart des chiens, mais beaucoup d'entre eux contiennent une grande quantité de colorants alimentaires et d'agents de conservation, qui visent à rendre la nourriture plus attrayante pour les humains que pour les chiens. Les aliments des grandes marques sont faciles à trouver, mais vous devez choisir une marque qui contient peu d'additifs ou pas du tout.

La nourriture pour chiens haut de gamme est habituellement vendue dans les animaleries et les cliniques vétérinaires, mais, depuis quelque temps, on peut trouver certaines de ces marques dans les épiceries. Cette nourriture est faite d'ingrédients de haute qualité et contient très peu de colorants, de saveurs ajoutées et d'agents de conservation. Ces ingrédients sont mieux assimilés par l'organisme de votre chien et, par conséquent, ses selles deviennent habituellement moins volumineuses et moins malodorantes.

Choisissez une alimentation adaptée aux besoins de votre chien — il peut s'agir d'une formule spéciale pour jeunes chiens, pour chiens adultes, pour chiens très actifs, pour chiens qui ont un excès de poids ou pour chiens âgés. Si votre animal n'est pas très actif, songez à lui offrir une alimentation plus pauvre en protéines, comme un régime à base d'agneau et de riz. Trop de propriétaires de chiens servent à leur fidèle compagnon des aliments riches en calories et en protéines et se demandent ensuite pourquoi leur animal a un comportement incontrôlable.

De nombreux propriétaires de chiens se demandent aussi quelle est la différence entre la nourriture en conserve et la nourriture sèche (croquettes). La nourriture sèche est moins chère, plus facile à entreposer et à utiliser, et la plupart des chiens semblent l'apprécier. Mais bien des chiens ont aussi un faible pour la nourriture en conserve, qui convient bien aux animaux malades ou âgés. Certaines personnes mélangent de la nourriture en conserve à la nourriture sèche pour gâter leur chien ou pour stimuler son appétit. Même si les aliments en conserve ont tendance à coller aux dents de l'animal, ce qui risque d'entraîner des problèmes dentaires graves, ils ne peuvent pas causer beaucoup de tort s'ils sont offerts en petite quantité, sans compter qu'un brossage quotidien (voir le chapitre 4, «Vaccins et soins courants», la section «Comment prendre soin de la dentition de mon chien?») permet d'éliminer ce risque.

Q Mon chien peut-il manger de la nourriture faite maison?

R Si vous êtes prêt à y consacrer du temps et à faire les recherches nécessaires pour vous assurer que votre chien profite d'un régime alimentaire équilibré, la nourriture préparée à la maison (également appelée «ration ménagère») est une solution de rechange acceptable par rapport à la nourriture vendue dans le commerce. Mais si vous vous bornez à donner à votre chien les mêmes aliments que vous consommez, vous obtiendrez des résultats peu satisfaisants. En effet, les chiens qui consomment la même nourriture que les humains finissent souvent par souffrir de pancréatite (une inflammation du pancréas causée par la consommation d'aliments riches ou épicés), de troubles intestinaux ou digestifs et de malnutrition. Même si les aliments pour chiens vendus sur le marché ont grandement contribué à améliorer la santé de la population canine (et ont facilité l'entretien des chiens pour les humains), un bon nombre de propriétaires de chiens et de chercheurs souhaitent maintenant rendre l'alimentation canine encore meilleure. Il est possible de procurer à votre compagnon une alimentation plus fraîche, plus naturelle et plus équilibrée, mais cela exige temps et persévérance. Les livres, les sites Web et les forums de discussion sur Internet constituent une mine d'informations sur le sujet. Certains vétérinaires s'intéressent à la question et possèdent des connaissances approfondies en la matière, tandis que d'autres ne recommandent que la nourriture offerte sur le marché. Si vous envisagez de donner à votre chien une nourriture préparée à la maison, commencez par trouver un vétérinaire qui sera en mesure de vous guider et de vous soutenir dans votre démarche.

Q Mon chiot s'est fait diagnostiquer une coccidiose. En quoi consiste cette affection ?

R La coccidiose canine est une infection des intestins causée par un parasite unicellulaire nommé Isospora canis. Les chiens infectés ont des selles diarrhéiques liquides, pâteuses, malodorantes et de couleur brun clair, qui contiennent parfois du sang. Les chiots gardés dans un environnement insalubre ou ceux qui sont très stressés sont particulièrement vulnérables à la coccidiose. Ils contractent l'infection en ingérant des selles de chiots ou de chiens adultes contaminés par le parasite. La diarrhée peut entraîner une perte de poids, de la déshydratation et un état léthargique. En l'absence de traitement, l'infection peut être mortelle. Il arrive cependant que certains chiots infectés ne présentent que peu de symptômes, voire aucun.

Les vétérinaires arrivent à diagnostiquer la coccidiose en procédant à une analyse microscopique d'un échantillon de selles afin de déceler la présence d'oocystes (forme capsulée sous laquelle les coccidies sont excrétées). Comme les oocystes sont parfois difficiles à détecter, on entreprend souvent le traitement strictement à partir des symptômes. Les médicaments ne tuent pas les coccidies, mais ils empêchent leur reproduction, ce qui donne le temps au système immunitaire du chiot de combattre l'infection. Administrez le traitement en suivant les indications du vétérinaire, habituellement à raison d'une dose par jour pendant deux à quatre semaines. Par la suite, le vétérinaire recommandera une autre analyse des selles de votre chien.

Les chiens adultes qui côtoient des chiots infectés ne courent pas un grand risque de contamination, car leur système immunitaire est pleinement développé. Toutefois, les chiens adultes immunodéprimés (en raison d'une grossesse, d'un cancer ou d'une infection) sont plus vulnérables. Les humains peuvent être contaminés par certains types de coccidies (Cryptosporidium et toxoplasme), mais pas par Isospora canis.

Q Est-ce que je peux donner à mon chien des os en cuir brut, des sabots de bœuf ou des oreilles de porc ?

R Je ne recommande pas ce type de gâteries pour plusieurs raisons. Premièrement, elles présentent un risque pour les humains. En octobre 1999, la FDA (organisme américain de réglementation des aliments et des médicaments) a publié une mise en garde lorsqu'un certain nombre de personnes sont tombées malades après avoir été en contact avec des produits à mâchonner pour chiens faits de parties de porc et de bœuf (oreilles de porc, sabots fumés, cuir de porc). Ces produits étaient contaminés par la bactérie Salmonella infantis, qui peut infecter les humains et provoquer des symptômes qui s'apparentent à ceux de la grippe, comme la nausée, la fièvre, les vomissements, les douleurs abdominales et la diarrhée.

Même si les adultes en santé peuvent se prémunir contre cette bactérie en se lavant fréquemment les mains, les propriétaires de chiens ne font pas tous preuve d'une telle prudence. Les personnes immunodéprimées, notamment les nouveau-nés, les enfants, les femmes enceintes, les personnes âgées, les personnes infectées par le virus de l'immunodéficience humaine (VIH) et celles qui ont subi une transplantation d'organe ou qui suivent des traitements de chimiothérapie, courent un plus grand risque d'être infectées et peuvent tomber gravement malades et même mourir si elles sont exposées à la bactérie Salmonella infantis.

Deuxièmement, ces produits peuvent faire du tort aux chiens. En effet, de gros morceaux de cuir peuvent se loger dans le système digestif de l'animal et causer une occlusion complète ou partielle nécessitant une intervention chirurgicale. Même si bien des chiens peuvent ronger sans problème ces produits en cuir, ce n'est pas le cas pour bon nombre d'entre eux, chez lesquels ils provoquent diarrhée, vomissements, flatulences et pancréatite. De plus, les méthodes de fabrication de ces produits ne sont pas assujetties à une réglementation très stricte, en particulier lorsqu'ils proviennent d'autres pays — des agents de conservation toxiques à base d'arsenic ont été utilisés dans leur fabrication.

Je recommande plutôt des accessoires à mâcher faits de nylon ou de caoutchouc (par exemple, les marques Nylabone ou Kong Toys), en particulier ceux que l'on peut remplir de nourriture pour chiens. Ces jouets tiendront votre animal occupé pendant des heures. N'oubliez pas que certains chiens mastiquent de façon assez agressive et sont capables de déchiqueter n'importe quel jouet en morceaux faciles à avaler qui peuvent par la suite se loger dans l'estomac ou les intestins. Par conséquent, lorsque vous donnez un jouet à mâcher à votre chien, surveillez-le afin de vous assurer qu'il ne le déchire pas et qu'il n'en avale pas les morceaux.

Q Pourquoi mon chien mange-t-il des excréments ? Comment puis-je l'en empêcher ?

R La coprophagie, ou la tendance à manger des excréments, est un comportement canin à la fois frustrant et répugnant. Certains chiens aiment tout particulièrement les excréments de cheval, de lapin ou de chat. Les excréments de cheval et de lapin contiennent des matières végétales partiellement digérées, et les excréments de chat sont riches en protéines, ce qui pourrait expliquer leur attrait. Moins de 10 % des chiens mangent leurs propres excréments.

Les raisons de la coprophagie ne sont pas claires. Tant les chiens sous-alimentés que les chiens bien nourris qui ont un problème de santé entraînant la malnutrition, comme des parasites intestinaux ou une maladie du pancréas, peuvent manger leurs selles dans le but de se procurer des matières nutritives. Les chiens qui font peu d'exercice ou qui vivent dans un environnement ennuyeux (perpétuellement au bout d'une corde ou laissés à eux-mêmes dans un chenil) mangent parfois leurs selles pour se distraire. Une fois que le chien a pris cette habitude, il a tendance à ne plus vouloir l'abandonner, même si les conditions qui y ont donné naissance sont modifiées.

En plus de rendre la compagnie de votre chien plutôt désagréable, cette propension à ingérer les excréments d'autres animaux (en particulier d'autres chiens) entraîne le risque qu'il attrape

des maladies comme le parvovirus canin ou des parasites intestinaux. Les chiens peuvent aussi être contaminés par un type
de salmonelle mortelle s'ils ingèrent des excréments d'oiseaux
sauvages ou par un organisme unicellulaire nommé Giardia sp.
(un parasite intestinal unicellulaire qui cause une diarrhée réfrac-
taire) s'ils mangent des excréments d'animaux sauvages.

Si le problème persiste, consultez votre vétérinaire. Une fois
que vous et votre vétérinaire aurez la certitude qu'aucun trouble médical n'est à l'origine du comportement de votre chien
et que l'animal ne mange pas des excréments parce qu'il est
négligé ou qu'il manque d'exercice, vous aurez le choix entre deux
moyens pour remédier à la coprophagie : vous pouvez rendre
les excréments peu attrayants pour votre chien ou l'empêcher
d'entrer en contact avec des excréments.

La méthode la plus répandue est aussi la moins appropriée.
Ainsi, certains propriétaires de chiens couvrent les excréments
de leur animal de sauce piquante, de poivre, de produits chimiques
toxiques et d'autres substances peu recommandables. Or, en plus
de causer du tort à l'animal, cette méthode a peu de chances de
réussir. D'autres personnes donnent à manger à leur chien de
l'attendrisseur de viande (une enzyme digestive habituellement
extraite de l'ananas) afin de modifier la texture des excréments
de l'animal, et il existe dans le commerce un produit spécifiquement conçu pour les chiens qui a le même effet. Toutefois, la
meilleure façon de procéder consiste à promener votre chien en
laisse et à faire disparaître ses excréments immédiatement après
l'élimination. Si le chien est trop rapide et que vous n'avez pas le
temps de ramasser les excréments avant qu'il les avale, emportez

avec vous une friandise et habituez votre chien à s'attendre à recevoir une récompense chaque fois qu'il défèque. Vous pourrez alors ramasser les excréments pendant que votre animal savoure sa petite gâterie. Lorsque cette méthode est adoptée, le chien finit habituellement par perdre cette habitude peu ragoûtante.

Q Qu'est-ce que la dilatation ou la dilatation-torsion de l'estomac et mon chien risque-t-il d'en souffrir?

R Le syndrome de dilatation de l'estomac se produit lorsque l'estomac du chien se distend — devient ballonné ou dilaté — en raison d'une accumulation d'aliments, de gaz ou de liquides. Les causes de ce phénomène demeurent incertaines, mais on croit qu'il survient lorsque le chien a ingéré une trop grande quantité de nourriture ou d'eau à la fois, qu'il a mangé trop vite, qu'il a ingéré beaucoup d'air en mangeant ou en buvant ou qu'il a fait de l'exercice immédiatement avant ou après avoir mangé abondamment. Étant donné que les chiens de grande taille ou à large poitrail tels que les danois et les rottweilers sont le plus souvent touchés, il est possible que l'anatomie et la génétique y soient pour quelque chose.

Un chien souffrant de dilatation de l'estomac devient gravement malade, souvent au bout de trente minutes ou d'une heure. Distendu, son abdomen est très douloureux, et la compression consécutive à la dilatation diminue l'afflux de sang dans l'estomac et les organes avoisinants; l'animal tombe alors progressivement en état de choc (un collapsus cardiovasculaire). Dans les pires cas, l'estomac bascule, puis se tord, ce qui bloque l'entrée et la sortie de l'organe et empêche les gaz, les aliments et les fluides de progresser vers les parties inférieures du système digestif. Il s'agit alors du syndrome de dilatation-torsion de l'estomac (SDTE), une affection potentiellement mortelle qui constitue une urgence absolue. En effet, peu de chiens y survivent sans l'intervention immédiate d'un vétérinaire. Les traitements incluent, entre autres choses, une chirurgie exploratoire visant à décomprimer et à repositionner l'estomac. Les symptômes du SDTE sont notamment les suivants : le chien halète et fait de vains efforts pour vomir, son abdomen est gonflé, il éructe fréquemment et semble anxieux et éprouver de la douleur. Selon une étude réalisée à l'Université de Purdue, les chiens qui mangent moins de repas par jour, ingurgitent rapidement leur nourriture et ont un tempérament nerveux et craintif sont plus prédisposés au SDTE[1].

Si vous possédez un grand chien ou un chien à large poitrail, ou encore un chien qui a des antécédents familiaux de SDTE ou tendance à ingurgiter sa nourriture à toute vitesse, il existe certaines mesures à prendre pour prévenir le SDTE. Donnez à votre animal plusieurs petites rations de nourriture par jour au lieu d'un ou deux gros repas. Ne le nourrissez jamais et ne le laissez jamais boire beaucoup d'eau immédiatement avant ou après une séance d'exercices ; attendez deux heures. Nourrissez votre chien séparément des autres chiens, pour éviter qu'il n'engloutisse son repas à toute vitesse pour aller rejoindre ses compagnons de jeu. Encouragez-le à se reposer après les repas.

Q **Comment puis-je déterminer si mon chien fait de l'embonpoint et que puis-je faire pour remédier à la situation?**

R Si votre chien semble avoir une surcharge pondérale, il n'est pas le seul : tout comme les humains, qui sont de plus en plus obèses d'une génération à l'autre, nos chiens ont eux aussi tendance à grossir. Or l'obésité rend les chiens plus susceptibles de souffrir de diabète et entraîne un stress pour le cœur, les poumons, les articulations et les autres organes. Pour savoir si votre chien a un excès de poids, placez-le devant vous et posez les mains sur son dos. Écartez les doigts et pointez les pouces vers la tête de l'animal, de façon que vos doigts soient étalés sur ses flancs et enserrent sa cage thoracique. «Palpez» les côtes de l'animal afin d'évaluer l'épaisseur des tissus qui les recouvrent. Vous devriez être en mesure de sentir les côtes ainsi qu'une modeste épaisseur de muscle et de graisse. Si vous ne sentez qu'une épaisse couche de graisse, cela signifie que votre chien fait probablement de l'embonpoint.

Pour faire perdre du poids à votre chien, il faut l'emmener plus souvent faire de l'exercice et lui donner des aliments pauvres en gras et en calories. Votre vétérinaire devra lui faire passer un examen complet, établir l'objectif à atteindre et évaluer son état de santé général afin de déterminer s'il souffre de problèmes de santé qui contribuent à son excès de poids ou qui limitent la quantité ou le type d'exercices auxquels il peut s'adonner. Une diète spéciale doit par la suite être prescrite. Vous trouverez sur le marché de la nourriture pour chiens riche en fibres et pauvre en calories. Avec l'accord de votre vétérinaire, vous pourrez soumettre votre chien à des exercices réguliers. Une pesée chez le vétérinaire à toutes les deux semaines vous aidera à maintenir le programme d'amaigrissement de votre chien sur la bonne voie. De plus, les séances d'exercices avec votre compagnon à quatre pattes pourraient aussi se révéler avantageuses pour votre santé. Des recherches ont déjà montré que les personnes qui font de l'exercice physique avec un compagnon humain sont plus susceptibles de persévérer dans leur programme de mise en forme, et des études sont actuellement en cours pour vérifier s'il en va de même des gens qui font régulièrement de l'exercice avec un compagnon canin.

Chacune des personnes qui font partie de la vie de votre chien doit s'engager à contribuer à l'amélioration de sa santé. Si l'un des maîtres du chien diminue la quantité de nourriture qu'il met dans l'écuelle pendant que les autres persistent à lui offrir toutes sortes de friandises en cachette, c'est l'animal qui en souffrira. Votre famille — qui est aussi celle du chien — doit démontrer son amour envers l'animal en donnant la priorité à sa santé et à son bien-être au lieu de le laisser absorber un excès de calories.

Q   Pourquoi mon chien vomit-il et comment puis-je le soulager ?

R   Les chiens vomissent pour une multitude de raisons, dont certaines sont sans conséquence et d'autres, plus sérieuses. Les chiots qui vomissent plus d'une fois par jour risquent de devenir très vite gravement déshydratés. Quand un jeune chien se met à vomir, il faut immédiatement se demander s'il n'est pas atteint du parvovirus canin, maladie qui peut être fatale. De même, quand un chien âgé se met à vomir, il faut s'en préoccuper car l'animal pourrait être atteint d'une maladie du foie ou des reins, d'un cancer ou d'une autre affection. Mais même un chien adulte en pleine santé peut contracter une maladie potentiellement mortelle qui se manifeste par des vomissements. La pancréatite (inflammation du pancréas causée par la consommation excessive de nourriture riche ou épicée), les coups de chaleur, la dilatation-torsion de l'estomac, l'empoisonnement et l'obstruction de l'estomac ou des intestins par un corps étranger sont autant de facteurs qui peuvent causer des vomissements chez un chien autrement en bonne santé.

En général, si votre chien vomit plus d'une fois dans une période de vingt-quatre heures, il est préférable de consulter votre vétérinaire. Il cherchera alors à déterminer la cause du problème en traçant avec votre aide un portrait détaillé de l'état de santé du chien et de son régime alimentaire, en effectuant un examen physique et peut-être en procédant à des analyses sanguines et à des radiographies.

Q Pourquoi mon chien mange-t-il de l'herbe ?

R Voilà l'une des grandes questions qui préoccupent l'humanité. Il existe de nombreuses théories à ce sujet. Peut-être les chiens s'ennuient-ils de la partie végétarienne de l'alimentation de leurs ancêtres, que ceux-ci obtenaient en dévorant des animaux mangeurs d'herbe. Peut-être que l'herbe contribue à soulager certains maux d'estomac, car de nombreux chiens vomissent l'herbe immédiatement après l'avoir ingérée. Et peut-être que les chiens apprécient tout simplement le goût de l'herbe. On ne le saura peut-être jamais. Si votre chien ne mange de l'herbe qu'à l'occasion et qu'il est en bonne santé, il n'y a aucune raison de vous inquiéter. Assurez-vous simplement que l'herbe qu'il consomme est exempte de produits chimiques et n'est pas contaminée par l'urine ou les selles d'autres chiens.

Q Mon chien a le mal des transports. Comment puis-je lui venir en aide ?

R Il existe plusieurs mesures à prendre afin de soulager le malaise qui afflige votre chien en voiture. Premièrement, vous pouvez le mettre dans sa cage lorsqu'il est en voiture. Certains chiens souffrant du mal des transports préfèrent le siège avant, mais le siège arrière offre une plus grande protection en cas d'accident (en empêchant le chien d'être projeté dans le pare-brise). Deuxièmement, assurez-vous que l'animal a l'estomac vide au moment d'aller en voiture (ne lui donnez ni nourriture ni eau pendant quatre à six heures avant le départ). Habituez votre chien à voyager en voiture en l'emmenant fréquemment faire de petits voyages, par exemple un simple tour de pâté de maisons. Emportez un de ses jouets à mâcher favoris pour le distraire. Vous pouvez aussi recouvrir sa cage d'une couverture, car le fait de regarder le paysage défiler contribue parfois à provoquer la nausée. Assurez-vous toutefois qu'il a amplement d'air frais quand il est en voiture.

Si ces mesures ne donnent aucun résultat, consultez votre vétérinaire à propos des médicaments offerts pour ce genre de problème. Ces médicaments diminueront la nausée du chien tout en ayant un effet sédatif, ce qui permettra à l'animal de se détendre et de dormir pendant le voyage. À l'occasion d'un long déplacement, faites des arrêts fréquents (à toutes les deux heures au moins) pour que le chien puisse sortir de la voiture et se dégourdir les pattes. Offrez-lui de petites quantités d'eau à boire au moment de ces arrêts pour l'empêcher de se déshydrater. Arrêtez-vous plus souvent si le chien donne des signes de nausée, c'est-à-dire s'il bave ou s'il éructe.

Chapitre 3

....

Parasites et zoonoses

Parmi les soins à donner à votre chien figure la protection contre les nombreux parasites auxquels il risque d'être exposé au cours de sa vie. Cela est important pour préserver la santé de l'animal, mais aussi, dans bien des cas, pour protéger les membres de votre famille de la maladie. Pour éviter les agents pathogènes tels que les champignons qui causent la teigne et le virus de la rage, il suffit souvent de prendre quelques précautions toutes simples, qui contribueront à votre protection ainsi qu'à celle de votre chien.

Q Qu'est-ce que la gale et comment puis-je savoir si mon chien en est atteint ?

R La gale est une maladie due à une infestation de la peau et des follicules pileux par un acarien microscopique. Il existe deux formes courantes de gale : la gale démodectique (ou démodécie), que l'on appelle aussi gale rouge, causée par l'acarien Demodex canis, et la gale sarcoptique, causée par Sarcoptes scabiei. Votre vétérinaire déterminera si votre chien est infesté par des acariens responsables de la gale en raclant la peau de l'animal et en examinant au microscope les substances ainsi prélevées. Lorsqu'on décèle la présence d'acariens, on peut confirmer qu'il y a infestation, mais ces parasites sont parfois difficiles à trouver, même lorsque la peau est très irritée. S'il ne détecte aucun acarien au microscope après un raclage de la peau, votre vétérinaire pourra tout de même décider d'entreprendre un traitement contre la gale si les symptômes indiquent fortement la présence de cette affection.

Les acariens qui causent la gale démodectique se trouvent en nombre restreint sur la peau des chiens normaux et en santé, mais il peut arriver que ce nombre augmente et qu'un chien devienne gravement infesté. Ces acariens à huit pattes en forme de cigare se fixent sur les follicules pileux des chiens, entraînant une inflammation de la peau et une chute des poils. Une infection bactérienne secondaire s'ensuit souvent, qui provoque chez le chien d'intenses démangeaisons (prurit). Les chiens stressés, comme ceux qui souffrent de malnutrition, sont plus susceptibles d'attraper la gale. On croit également qu'il existe des causes génétiques pouvant prédisposer certains chiens à ce type de gale, car la progéniture des animaux qui en souffrent est souvent affligée du même mal. La gale démodectique n'est contagieuse ni pour les autres chiens ni pour les humains.

Il existe deux types de gale démodectique : une forme localisée et une forme généralisée. Les chiens qui sont atteints de la forme localisée sont simplement affligés de quelques plaques de dépilation, de rougeurs et de démangeaisons, souvent autour des yeux, sur le museau ou entre les doigts. Cette forme de gale touche habituellement les jeunes chiens et se résorbe souvent sans traitement spécifique, même si le vétérinaire pourra prescrire des antibiotiques afin de soulager l'infection bactérienne qui l'accompagne. La gale démodectique localisée peut parfois s'aggraver pour devenir généralisée.

Les chiens qui sont atteints de gale démodectique généralisée montrent des zones de dépilation un peu partout sur le corps, et le traitement est souvent plus compliqué. Les vétérinaires traitent généralement cette affection en plongeant le chien, une fois par semaine ou par deux semaines, dans un bain rempli d'un pesticide appelé amitraze. Le traitement se poursuit pendant au moins un mois, jusqu'à ce qu'un raclage de la peau ne révèle aucune présence de l'acarien Demodex canis sur la peau de l'animal. Ce traitement réussit dans 70 % à 90 % des cas. Il en existe d'autres, notamment par l'ivermectine et la milbémycine, des médicaments qui sont tous deux également employés pour prévenir la dirofilariose du chien (ver du cœur). Dans bien des cas, la gale démodectique ne peut être guérie, mais il est possible de la contenir. Cependant, les traitements peuvent être longs et dispendieux.

Dotés de huit pattes et de forme arrondie, les acariens qui sont à l'origine de la gale sarcoptique infestent la peau du chien et provoquent d'intenses démangeaisons. Ils peuvent se transmettre aux autres chiens et peuvent aussi causer de l'irritation et des démangeaisons chez l'humain. Étant donné qu'un raclage de la peau ne révélera la présence d'acariens que dans 20 % des cas, le traitement est administré lorsque le vétérinaire soupçonne grandement qu'il s'agit de la gale sarcoptique ; une réponse positive au traitement confirme le diagnostic. Le traitement consiste à immerger le chien dans une solution d'amitraze ou un composé organophosphoré à toutes les semaines ou deux pendant quatre à six semaines ou à administrer par voie orale au chien des doses d'ivermectine ou de milbémycine pendant deux à quatre semaines. La sélamectine est un autre médicament approuvé pour le traitement de la gale sarcoptique ; votre vétérinaire administrera deux traitements topiques à un mois d'intervalle. Avec un traitement approprié, l'animal arrive à se débarrasser complètement de la gale sarcoptique, et la plupart des chiens ne souffrent d'aucune séquelle à long terme de cette maladie. Cependant, une nouvelle infestation peut survenir si la source d'acariens (par exemple un chien parasité qui habite dans le quartier) n'est pas traitée ou éliminée.

Q Comment mon chien est-il devenu infesté de vers plats ?

R   Comme les puces sont souvent porteuses de larves de vers plats, les chiens deviennent habituellement infestés par ce type de vers après avoir ingéré des puces. Le ver plat adulte est constitué de nombreux segments appelés proglottis, dont chacun est de la grosseur d'un grain de riz (les vers plats adultes peuvent atteindre une longueur de 20 centimètres). Lorsque le ver parvient à maturité à l'intérieur de l'intestin, les proglottis se détachent et sont évacués avec les matières fécales du chien. Les proglottis sont assez mobiles, et on peut habituellement les voir se tortiller dans les selles du chien ou autour de l'anus de l'animal. Les segments finissent par sécher et s'ouvrir, disséminant de petits œufs sur le sol environnant. Ces œufs sont par la suite ingérés par les larves de puces, et le cycle se poursuit de plus belle.

S'ils inspirent le dégoût, les vers plats causent peu de tort aux chiens. Pour soulager la démangeaison qu'ils provoquent, certains chiens auront tendance à se frotter le derrière sur le sol ou sur le tapis pour se gratter ; on appelle cela faire du « traîneau ». Bien que la chose soit rare, il peut arriver qu'un ver plat particulièrement long se prolonge de l'intestin du chien à son estomac, entraînant chez l'animal des vomissements. Les chiots qui sont infestés de vers plats sont parfois en proie à une diarrhée aiguë ou à des vomissements abondants pouvant entraîner la déshydratation, laquelle peut être mortelle.

Les vétérinaires administrent habituellement un traitement au chien quand les segments du ver sont visibles ou quand la tendance à faire du traîneau ou les vomissements du chien ne peuvent être attribués à aucune autre cause. Le praziquantel, un médicament qui entraîne peu d'effets secondaires, constitue le traitement le plus fréquent. Ce médicament élimine Dipylidium caninum, le ver plat le plus courant, ainsi que Tænia pisiformis, qui peut contaminer les chiens lorsque ceux-ci mangent des viscères de lapins ou de rongeurs. Il existe d'autres espèces plus rares de vers plats qui peuvent infester les chiens, de même que des vers plats qui contaminent les humains et non les chiens.

Si l'organisme humain ne peut servir d'hôte à Tænia pisiformis, les humains, et plus particulièrement les enfants, risquent de souffrir d'une infestation par Dipylidium caninum s'ils avalent accidentellement une puce, mais ce risque est minime. Le moyen le plus efficace de prévenir toute infestation tant chez les chiens que chez les humains consiste à s'assurer que l'environnement est exempt de puces.

Q Mon chien peut-il me transmettre la maladie de Lyme ?

R La maladie de Lyme est une infection bactérienne causée par Borrelia burgdorferi, un micro-organisme unicellulaire de forme allongée, mince et spiralée. La maladie a reçu son nom en 1977, lorsqu'un nombre anormalement élevé d'enfants habitant la ville de Lyme, dans le Connecticut, et les environs se sont mis à présenter des symptômes d'arthrite. Depuis, des cas de la maladie ont été observés partout dans le monde et d'un bout à l'autre des États-Unis, mais c'est dans les États de New York, du Connecticut, de la Pennsylvanie, du New Jersey et du Maryland que se concentre la plus grande partie des 16 000 cas humains signalés chaque année.

La bactérie responsable de la maladie de Lyme se transmet aux humains et aux chiens par une piqûre de tique, un acarien qui parasite les animaux sauvages tels que le chevreuil et la souris à patte blanche. Chez le chien, cette maladie se manifeste par des douleurs arthritiques aiguës qui s'accompagnent parfois de léthargie, de fièvre, d'une perte d'appétit ou de boiterie. Les chiens en guérissent habituellement très vite lorsqu'on leur fait suivre un traitement antibiotique.

Il n'existe aucune donnée probante indiquant que les humains peuvent contracter la maladie de Lyme directement d'un chien contaminé; ce sont les tiques qui constituent les vecteurs d'infection, tant pour les humains que pour les chiens. Si bien des gens prétendent que les chiens peuvent ramener dans la maison des tiques contaminées, les experts font valoir que les tiques hébergeant la bactérie responsable de la maladie de Lyme se fixent solidement à la peau du chien afin de se nourrir de son sang, puis se laissent tomber par terre sans jamais passer à un autre organisme hôte. Toutefois, si votre chien fréquente une région infestée de tiques, vous et votre famille risquez également d'attraper la maladie, mais pas nécessairement à cause de votre chien. Examinez soigneusement votre animal à toutes les vingt-quatre heures de même qu'après avoir visité un endroit où le risque de piqûres de tiques est élevé. Pour transmettre la maladie de Lyme, une tique doit demeurer fixée à la peau de votre chien pendant plusieurs heures.

Pour protéger votre chien de cette maladie, le vétérinaire peut vous prescrire un médicament capable de prévenir toute infestation par les tiques. Il existe aussi un vaccin contre la maladie de Lyme spécifiquement conçu pour les chiens.

Q Comment puis-je savoir si mon chien a des vers intestinaux ?

R Les vers intestinaux sont des parasites très courants chez les chiens. Les plus connus sont le ver rond, le ver à crochets (anky-lostome), la trichure et le ver plat (voir plus haut, la section « Comment mon chien est-il devenu infesté de vers plats ? »).

Il existe plusieurs espèces d'ankylostomes, dont plus d'une est susceptible d'envahir les chiens. L'ankylostome est un parasite vorace suceur de sang qui se fixe à la paroi intestinale du chien. Lorsqu'il se détache, sa morsure laisse une lésion sanguinolente. Les chiots et les chiens adultes infestés d'ankylostomes présentent une diarrhée noire, gluante et goudronneuse. La couleur noire est attribuable aux écoulements de sang dans l'intestin qui ont été partiellement digérés par le chien. Les chiens contaminés, en particulier les chiots, finissent par souffrir d'anémie en raison des pertes san-guines et deviennent rapidement faibles et malades ; la mort risque alors de survenir subitement.

Les chiens parasités expulsent dans leurs selles des œufs d'anky-lostomes, qui sont ainsi rejetés dans le milieu environnant. Par la suite, les larves émergent des œufs et se disséminent dans l'herbe et le sol, pour se fixer au prochain chien qui a le malheur de passer par là. Les larves pénètrent alors dans la peau du chien et migrent à l'intérieur du corps jusqu'à ce qu'ils atteignent les intestins de l'ani-mal. Les chiens peuvent aussi se contaminer en ingérant des œufs ou des larves lorsqu'ils mangent les selles d'un autre chien. Les ankylos-tomes sont également transmissibles aux chiots peu après la nais-sance par le lait maternel.

Les vétérinaires peuvent déterminer la présence d'ankylostomes en procédant à une analyse microscopique d'un échantillon de selles. De l'eau salée est ajoutée à l'échantillon, ce qui fait remonter à la surface les œufs se trouvant dans les selles. Les œufs sont ensuite déposés sur une lame de microscope pour être analysés. Cette procédure se nomme examen des selles par flottation. La détermination, au moyen du microscope, de la présence d'œufs d'ankylostomes dans les selles du chien permet donc de prouver que l'animal est contaminé. Les ankylostomes eux-mêmes ne sont pas assez gros pour qu'on puisse les voir à l'œil nu.

Les vers ronds (ascaris) sont plutôt volumineux, leur grosseur pouvant atteindre celle d'un brin de spaghetti. Ils sont transmissibles aux chiots directement dans le ventre de la mère. Tous les chiens peuvent s'infester en ingérant des œufs ou des larves contenus dans les excréments des autres chiens. Les chiens adultes ne présentent souvent aucun symptôme, mais l'infestation peut être diagnostiquée lors d'un examen annuel de routine des selles ou lorsque le propriétaire remarque la présence de vers dans les selles de son chien. Les chiots contaminés ont l'air maladif et peuvent avoir le ventre fortement distendu et endolori en raison des vers qu'ils hébergent. La présence de vers ronds peut aussi être détectée par un examen des selles par flottation.

Les trichures se logent dans le gros intestin du chien, ce qui entraîne de fréquentes diarrhées, habituellement mêlées de mucus et de sang frais. Le chien se contamine en avalant des œufs de trichures préalablement évacués dans les selles d'autres chiens. Les œufs de trichures disséminés dans le sol peuvent y rester pendant des mois, voire des années. Le diagnostic pour ce type d'infestation s'effectue par un examen des selles par flottation; comme les ankylostomes, ces vers sont trop petits pour qu'on puisse déceler leur présence à l'œil nu dans les selles du chien.

Votre vétérinaire pourra prescrire divers médicaments pour traiter votre chien contre les ankylostomes, les vers ronds, les trichures et les vers plats. On administre habituellement deux traitements aux chiens adultes, à deux ou trois semaines d'intervalle. Les chiots sont souvent vermifugés à toutes les deux ou trois semaines pendant les premiers mois de leur vie. Un examen de contrôle d'un échantillon de selles est recommandé. Si votre chien est gravement malade, des liquides administrés par intraveineuse, une transfusion sanguine et d'autres traitements d'appoint pourraient s'avérer nécessaires.

Q Quelle est la meilleure façon de débarrasser mon chien de ses puces ?

R Ctenocephalides felis est un nom bien long pour un bien petit insecte, la puce du chat, qui, en dépit de cette appellation, parasite indifféremment les chiens et les chats. Chez les chiens, les puces causent des démangeaisons, des maladies cutanées et de l'anémie et peuvent même transmettre le ver plat. Certains chiens sont allergiques aux piqûres de puces, ce qui se traduit par d'horribles dermatites même s'ils ne se font piquer que par un seul de ces minuscules parasites.

La lutte contre les puces a pris un tournant important au début des années quatre-vingt-dix, quand une nouvelle génération de produits antipuces a fait son apparition. En tout premier lieu est venu le lufénuron, un médicament administré une fois par mois par voie orale qui a pour effet d'empêcher les puces qui ont piqué le chien de pondre des œufs. Étant donné que le lufénuron ne tue pas les puces adultes qui sont déjà disséminées dans le pelage du chien, on doit prévoir un petit délai — environ deux mois — entre le premier traitement et une diminution notable de la population de puces. Puis est arrivé l'imidacloprid, suivi de près par le fipronil; ces deux produits doivent être appliqués une fois par mois sur la peau du chien, où ils sont rapidement absorbés par les glandes sébacées (glandes cutanées qui sécrètent une matière grasse servant à maintenir la souplesse de la peau). Ces glandes libèrent ensuite lentement le produit sur une base continue dans le pelage de l'animal. Lorsque les puces (et les tiques, dans le cas du fipronil) entrent en contact avec la peau ou les poils du chien, le produit pénètre à travers leur carapace rigide et cause des dommages au système nerveux, entraînant la mort à brève échéance. Beaucoup moins toxiques que leurs prédécesseurs, ces produits sont faciles à utiliser et hautement efficaces. Ils éliminent toutes les puces qui se sont incrustées dans le pelage du chien avant qu'elles aient le temps de piquer — ce qui est un réel avantage dans le cas des chiens allergiques. Ces produits ne sont vendus que par les vétérinaires; ne vous laissez pas leurrer par des produits insecticides semblables offerts en magasin. En effet, ils sont souvent composés de pesticides issus de générations précédentes, et donc plus toxiques, dont on a changé la présentation afin de leur donner l'apparence de produits plus récents et plus sécuritaires.

Mais votre chien a-t-il vraiment besoin d'une protection contre les puces? Il se trouve que de nombreux foyers et quartiers sont, pour une raison ou pour une autre, exempts d'infestation par les puces.

Par conséquent, en dépit du caractère plus sécuritaire et de l'efficacité accrue des produits plus récents, il est inutile de les utiliser si votre chien n'a pas de puces. De bonnes mesures sanitaires peuvent prévenir les envahissements de puces, même si votre chien ramène à l'occasion quelques-uns de ces parasites à la maison. En passant l'aspirateur dans tous les recoins de la maison et en lavant régulièrement les draps de lit dans de l'eau chaude savonneuse, vous contribuerez à éliminer les poils de chien et les cellules cutanées ainsi que les autres débris organiques dont se nourrissent les larves de puces.

Q Je suis immunodéprimé. Mon chien peut-il me rendre malade ?

R Parmi les personnes dont les défenses immunitaires sont amoindries figurent, notamment, les personnes séropositives pour le VIH, celles qui suivent des traitements de chimiothérapie ou qui prennent des médicaments immunodépresseurs à la suite d'une transplantation d'organe et, dans une moindre mesure, les nouveau-nés et les jeunes enfants, les femmes enceintes et les personnes âgées. Les personnes immunodéprimées courent un plus grand risque de se voir transmettre des maladies par les chiens, mais en réalité, les zoonoses (maladies qui sont transmissibles des animaux aux humains) sont plutôt rares, en particulier dans les environnements urbains. Par contre, les avantages que procure la présence d'un compagnon canin sont légion. En effet, les personnes atteintes d'une maladie immunosuppressive se sentent souvent seules et isolées. Or, en plus d'éprouver pour leur maître un amour inconditionnel, les chiens constituent une excellente raison de se lever chaque matin et de sortir de la maison, ainsi qu'un bon prétexte pour converser avec les gens. D'innombrables recherches ont montré que posséder un animal de compagnie présente de nombreux avantages, et les personnes souffrant de maladies graves ne devraient pas se voir priver de l'amitié d'un bon chien sous prétexte qu'il existe un risque minime de transmission de maladies.

Si vous êtes immunodéprimé ou si c'est le cas d'un membre de votre maisonnée, il existe des moyens de réduire au minimum les risques de zoonose. Tous les membres de votre maisonnée devraient se laver les mains souvent et avec soin, en particulier avant les repas ou avant de soigner une blessure ouverte subie par la personne immunodéprimée. Emmenez votre chien chez le vétérinaire au moins une fois par année pour un examen, l'administration de vaccins et un traitement antiparasitaire. Si votre chien donne des signes de maladie, comme la diarrhée, les vomissements ou une irritation cutanée, parlez-en immédiatement à votre vétérinaire. Portez des gants lorsque vous ramassez les excréments de votre chien et procédez adéquatement à leur mise au rebut. Gardez votre chien propre en tout temps en vous assurant que son poil est court, que ses griffes sont bien coupées et que ses oreilles sont nettoyées; donnez-lui un bain au moins deux fois par mois. Gardez les quartiers de votre chien propres; assurez-vous que son lit est constitué d'un tissu pouvant être nettoyé toutes les semaines à l'eau chaude et bien séché. Ne laissez pas votre chien boire de l'eau à même la cuvette des cabinets et tenez-le en laisse quand vous faites une promenade afin d'éviter tout contact avec des chiens dont l'état de santé est incertain et de l'empêcher d'ingérer de la nourriture ou des selles. Donnez à votre chien des aliments vendus dans le commerce, mais jamais d'aliments crus ou insuffisamment cuits ni de jouets à mâcher d'origine animale (voir le chapitre 2, « Alimentation et digestion », la section « Est-ce que je peux donner à mon chien des os en cuir brut, des sabots de bœuf ou des oreilles de porc ? »). Enfin, trouvez un médecin et un vétérinaire qui comprennent les avantages pour la santé que procure la présence d'un animal de compagnie et qui soutiennent votre décision de vivre avec un chien en dépit des risques minimes de zoonose.

Q Y a-t-il un risque que mon chiot me transmette la teigne ?

R   La teigne n'a rien à voir avec une infestation de vers ; c'est une infection fongique semblable au pied d'athlète chez les humains. La teigne affecte habituellement les chiens immunodéprimés, et les chiots sont plus susceptibles d'en être atteints que les chiens adultes. Les symptômes comprennent les dépilations localisées, souvent de forme arrondie, et les démangeaisons. La teigne frappe sous tous les climats, mais elle est plus fréquente dans les régions chaudes et humides.

Votre vétérinaire pourra diagnostiquer la teigne en prélevant quelques poils de votre chiot et en les « plantant » dans une préparation (milieu de culture) qui constitue un ferment idéal pour les champignons. Une fois les champignons apparus, il pourra déterminer de quel type il s'agit par un examen microscopique. Votre vétérinaire pourra aussi inspecter votre chien en le plaçant sous une lampe à « lumière noire » spéciale connue sous le nom de lampe de Wood. Les poils infestés de teigne brillent souvent dans la noirceur sous l'effet de cette lumière, ce qui permettra à votre vétérinaire de savoir dans quelle partie du pelage de votre chien il devrait prélever les poils

On utilise de nombreux médicaments pour traiter la teigne chez le chien ; il peut s'agir de pilules, d'onguents ou de shampooings. Étant donné que la plupart des chiots guérissent de l'infection à mesure que leur système immunitaire devient plus résistant, le traitement d'autres problèmes tels que les parasites intestinaux ou la malnutrition peut contribuer à éliminer la teigne. Il reste qu'un traitement au moyen de médicaments antifongiques accélère la guérison.

Les humains peuvent attraper la teigne s'ils entrent en contact avec un chien contaminé. Les personnes dont le système immunitaire est affaibli (voir plus haut, la section « Je suis immunodéprimé. Mon chien peut-il me rendre malade ? ») courent un plus grand risque d'être contaminées. Une fois qu'un chien s'est débarrassé de la teigne, les spores du champignon coupable peuvent demeurer disséminées dans l'environnement — dans les tapis, sur les murs et sur le lit de l'animal — pendant plusieurs mois, voire même quelques années, ce qui augmente les risques de transmission aux humains ou d'une nouvelle infestation du chien. Un nettoyage en règle peut réduire la quantité de spores dans l'environnement, et une bonne hygiène (par exemple un bon lavage des mains à intervalles réguliers) aide à prévenir la transmission de la teigne des chiens aux humains. La teigne peut aussi se transmettre d'un humain à un autre, en particulier dans le cas des enfants. Ainsi, lorsqu'un humain est aux prises avec la teigne, la source d'infection n'est pas nécessairement un chien.

Q Qu'est-ce que la dirofilariose du chien (ou ver du cœur) et pourquoi mon chien doit-il prendre un médicament préventif ?

R   Dirofilaria immitis est un parasite de la grosseur d'un spaghetti qui se loge à l'intérieur du cœur des chiens (et de certains chats). Le chien parasité peut héberger dans son cœur de 1 à 250 vers, dont chacun peut vivre jusqu'à sept ans. Les vers adultes produisent des larves appelées microfilaires, qui circulent dans le sang du chien. Les larves se transmettent d'un chien à l'autre par les piqûres de certains moustiques. La maladie peut causer des dommages au cœur, aux poumons et aux reins de l'animal et peut même entraîner la mort.

La dirofilariose se rencontre partout aux États-Unis, et tous les chiens, quel que soit leur âge, leur état de santé ou leur habitat, sont susceptibles d'être contaminés par le parasite qui en est responsable — les mâles le sont cependant quatre fois plus que les femelles, pour des raisons inconnues. Les chiens qui vivent à l'extérieur à temps plein risquent cinq fois plus d'être affectés que les chiens qui passent la plus grande partie de leur temps à l'intérieur, probablement en raison d'une exposition accrue aux moustiques.

Les chiens qui ne sont pas gravement atteints ou qui en sont aux premiers stades de la dirofilariose ne présentent aucun symptôme, et la maladie ne peut être détectée qu'à l'occasion d'un examen de routine. Les chiens atteints d'une dirofilariose plus grave ou chronique présentent certains signes, comme la léthargie, une incapacité à faire de l'exercice, une perte de poids, une toux profonde et une difficulté à respirer.

Il existe plusieurs tests permettant de diagnostiquer la dirofilariose du chien. S'il y a une grande concentration de microfilaires dans le sang du chien, le vétérinaire peut en détecter la présence par le simple examen microscopique d'une goutte de sang. Si l'affection est bénigne, le vétérinaire pourra filtrer un échantillon de sang plus important ou le centrifuger — en le plaçant dans une éprouvette qui sera soumise à une force centrifuge afin de provoquer une agglutination des larves au fond du contenant —, pour ensuite l'examiner au microscope.

Il arrive parfois qu'un chien soit infesté par le ver du cœur sans pour autant avoir de microfilaires dans le sang. Il s'agit alors d'une infection occulte (ou inapparente), qui survient lorsque les vers présents dans le cœur ne peuvent produire des larves parce qu'ils n'ont pas atteint la maturité ou qu'ils sont tous du même sexe (tous mâles ou femelles).

Un grand nombre d'infections occultes peuvent être détectées grâce à des tests de détection antigénique. Ces tests, qui peuvent être réalisés rapidement à la clinique vétérinaire à partir d'un petit échantillon de sang, permettent de déceler la présence des protéines (antigènes) qui recouvrent la peau des vers du cœur femelles. Il s'agit du test le plus précis qui existe à l'heure actuelle, mais il ne permet pas de diagnostiquer la dirofilariose chez un chien qui est infecté depuis moins de sept mois.

Un chien chez lequel le ver du cœur a causé des dommages légers ou modérés peut habituellement être traité avec succès. En revanche, une infection plus grave peut, malgré les traitements, laisser des dommages irréversibles au cœur, aux poumons et aux reins exigeant des soins permanents ; de plus, des complications sont plus susceptibles de survenir en cours de traitement. Il existe deux médicaments pour traiter la dirofilariose, qui sont tous deux dérivés de l'arsenic : la thiacétarsamide, qui est utilisée depuis de nombreuses années, et la mélarsomine, qui est plus récente et moins nocive. Dans la plupart des cas, on administre deux traitements à quelques semaines d'intervalle. La complication la plus fréquente survient lorsque des morceaux de vers morts migrent hors du cœur et vont se loger dans les vaisseaux sanguins des poumons, causant de graves dommages et de l'inflammation. Par conséquent, les chiens qui suivent un traitement doivent être maintenus au repos et surveillés de près durant plusieurs semaines, pendant et après le traitement. Une fois les vers adultes détruits, un autre médicament est administré afin d'éliminer les microfilaires qui circulent dans le sang de l'animal et les empêcher de devenir adultes.

Même si les traitements contre la dirofilariose sont habituellement fort efficaces, ils sont aussi très onéreux et envahissants ; aucun chien ni aucun propriétaire d'un chien ne devrait avoir à passer par là. Si tous les chiens qui sont exposés au ver du cœur finissent par contracter la maladie, celle-ci peut néanmoins être entièrement évitée. Il existe cinq médicaments pour la prévention de la maladie du ver du cœur chez le chien : la diéthylcarbamazine, qui doit être administrée tous les jours par voie orale pour être efficace ; l'ivermectine et la milbémycine, qui se prennent par la bouche à raison d'une fois par mois et dont l'effet protecteur se prolonge parfois bien au-delà de cette période ; la moxidectine, qui est administrée par voie orale une fois par mois ou par injection tous les six mois ; enfin, la sélamectine, qui requiert une application topique (sur la peau du chien) à tous les mois. Aucun de ces médicaments n'est plus efficace que les autres dans la prévention de la dirofilariose. Chacun d'eux a ses avantages propres, et votre vétérinaire pourra vous aider à déterminer lequel d'entre eux convient le mieux à votre chien.

Les vétérinaires ne donnent pas tous les mêmes conseils en ce qui concerne le moment où le médicament préventif contre le ver du cœur devrait être administré. Aux États-Unis, la plupart des cas de dirofilariose surviennent à l'intérieur d'une distance de 240 kilomètres de la côte atlantique, entre le Texas et le New Jersey, ainsi que le long de la rivière Mississippi et de ses principaux tributaires. Étant donné que, dans ces régions, les moustiques sont actifs pendant toute l'année, on recommande d'administrer les médicaments de prévention pendant toute l'année. Dans d'autres régions, les moustiques disparaissent plusieurs mois par année en raison du froid, et certains vétérinaires recommandent le traitement préventif seulement pendant les mois où la température est plus chaude. Or, étant donné que certains moustiques peuvent passer l'hiver à l'intérieur et que bien des propriétaires de chiens sont susceptibles d'oublier de recommencer à donner à leur chien des médicaments contre la dirofilariose au retour de la belle saison, je recommande d'administrer ces médicaments pendant toute l'année, quel que soit le climat. Si vous désirez obtenir plus de renseignements à ce sujet, visitez le site <www.heartwormsociety.org>.

Q   Mon chien a-t-il la gale des oreilles ?

R   Les acariens à huit pattes et de forme arrondie qui sont responsables de ce que la plupart d'entre nous appelons la gale des
oreilles ont en fait pour nom Otodectes cynotis. La transmission
se produit d'un animal à l'autre par simple contact ou lorsqu'un
chien fréquente un endroit où un animal parasité a laissé des acariens sur son passage, par exemple un lit. Certains chiens ne
semblent pas incommodés par ces parasites, alors que d'autres
éprouvent de la douleur et se grattent fréquemment les oreilles
jusqu'à s'infliger des plaies ouvertes. On remarque souvent, dans
les oreilles des chiens infestés, du cérumen marron foncé ou noir
qui ressemble à des grains de café. Parfois, les acariens sont suffisamment gros pour qu'on les aperçoive à l'œil nu ou à la loupe.
Votre vétérinaire prélèvera un échantillon de cérumen à l'aide
d'un coton-tige et le placera dans une goutte d'huile minérale
afin de l'examiner au microscope. La découverte d'acariens dans
l'oreille confirme qu'il s'agit bel et bien d'un cas de gale, mais un
résultat négatif ne signifie pas pour autant une absence d'infestation, les acariens étant souvent difficiles à détecter. Votre
vétérinaire pourra toujours recommander un traitement sur la
base des symptômes que présente le chien.

La gale des oreilles n'est pas transmissible aux humains, mais les
acariens qui en sont responsables peuvent infester les autres chiens
et les autres chats de la maisonnée, en plus de se disséminer dans
les tapis et les draps de lit. Si votre chien a la gale des oreilles,

---

1 *Barmy* signifie « maboul » ou « timbré » en anglais. *(N.D.T.)*

il vaudrait mieux traiter les autres animaux qui habitent votre maison. Lavez les couvertures, les draps de lit et les tapis à l'eau chaude savonneuse et traitez l'environnement au moyen d'un produit contre les puces.

Q Mon chien peut-il attraper la rage au contact d'un raton laveur, d'un écureuil, d'un opossum ou d'une marmotte ?

R Si tous les animaux à sang chaud peuvent contracter le virus de la rage, certaines bêtes sauvages présentent un risque particulièrement élevé. Les mouffettes, les chauves-souris, les renards et les ratons laveurs sont beaucoup plus susceptibles d'être atteints de la rage que les écureuils, les lapins, les opossums et les marmottes. Les chats sont les animaux domestiques qui contractent le plus fréquemment le virus de la rage.

Les lois en matière de vaccination antirabique varient d'un endroit à l'autre, mais dans la plupart des États américains, les chiens doivent recevoir leur premier vaccin contre la rage à l'âge de quatre mois, puis un autre vaccin un an plus tard, et ensuite une injection de rappel tous les ans ou tous les trois ans. Le vaccin est efficace, mais aucun vaccin n'est parfait. Par conséquent, même les chiens vaccinés devraient être gardés dans un endroit sûr et surveillés adéquatement ; on devrait aussi les empêcher de poursuivre, de tuer et de manger d'autres animaux, en particulier s'il s'agit d'animaux sauvages.

Chez le chien (comme chez tous les autres animaux), le seul moyen de diagnostiquer la rage est un examen des tissus cérébraux réalisé une fois l'animal décédé. Lorsqu'un chien est mordu par un animal que l'on sait atteint de la rage ou par un animal inconnu,

il doit être soumis à une quarantaine pour que l'on puisse déterminer s'il a été infecté par le virus. Si le chien a été vacciné avant
la morsure, on lui administre un nouveau vaccin et on l'isole
pendant quarante-cinq jours.

Chapitre 4

Vaccins et soins courants

Souvent, ce sont les soins quotidiens que l'on prodigue à son chien, comme le nettoyage des dents et l'entretien du pelage, qui sont les meilleurs garants de la bonne santé de l'animal. Votre vétérinaire devrait travailler de concert avec vous afin de déterminer les meilleurs moyens d'assurer l'entretien régulier de votre chien. La vaccination est un autre aspect des soins courants à apporter à votre compagnon. À mesure qu'on en apprend sur le système immunitaire des chiens et sur la façon dont ces derniers réagissent à la vaccination, il devient nécessaire pour les vétérinaires et les propriétaires de chiens de collaborer encore plus étroitement afin de déterminer quels sont les vaccins qui conviennent le mieux à chaque animal. Les propriétaires de chiens me demandent souvent de donner à leur animal « toutes les piqûres dont il a besoin ». Mais pour déterminer ces besoins, il faut préalablement discuter avec franchise de l'état de santé du chien et de son mode de vie.

Q Est-ce une bonne idée de vacciner mon chien moi-même ?

R Je ne vous recommande pas de vacciner votre chien vous-même. Votre vétérinaire peut discuter avec vous afin de déterminer quels sont les vaccins dont votre animal a besoin, à quel moment ces vaccins doivent être administrés et si votre chien est suffisamment en santé pour les recevoir. Votre vétérinaire peut aussi vous expliquer en quoi consistent les effets secondaires possibles et fournir les traitements et le soutien requis si un problème survient. Il peut s'assurer que les vaccins ont été manipulés adéquatement et sont viables. Il possède les installations nécessaires pour mettre au rebut de façon sécuritaire les déchets médicaux — les aiguilles, les seringues et les fioles ayant contenu le vaccin — qui résultent de la vaccination. De plus, si vous procédez à la vaccination vous-même, il est peu probable que les chenils et les cliniques vétérinaires accepteront de vous croire sur parole quand vous leur affirmerez que votre chien a bel et bien été vacciné. Par conséquent, votre animal devra être vacciné de nouveau si vous devez le mettre en pension ou le faire hospitaliser.

Q Qu'est-ce qu'une épreuve de titrage des anticorps et mon chien devrait-il passer ce test avant d'être vacciné ?

R À mesure que s'approfondissent les connaissances sur la façon dont le système immunitaire du chien réagit à la vaccination, on commence à comprendre que certains chiens n'ont pas besoin d'être vaccinés chaque année contre toutes les maladies courantes et que l'administration inutile de vaccins peut même nuire à la santé de l'animal. Les anticorps sont des protéines qui jouent un rôle de protection dans l'organisme du chien en reconnaissant les infections et en s'attaquant à elles. L'épreuve de titrage des anticorps permet de déterminer la quantité d'anticorps que possède votre chien contre une maladie donnée. Certaines personnes préconisent donc de l'adopter comme moyen de déterminer si le chien a vraiment besoin d'un vaccin. Or le recours à ce test suscite une grande controverse, car ses résultats ne sont pas toujours exacts. Ainsi, chez certains chiens, les résultats peuvent laisser croire à l'existence d'anticorps contre certaines maladies alors qu'il n'en est rien. Inversement, les résultats indiquent parfois que l'animal ne possède aucune protection alors qu'en réalité son système immunitaire est parfaitement en mesure de combattre la maladie. En outre, une épreuve de titrage des anticorps est beaucoup plus onéreuse qu'une simple vaccination.

Dans un avenir prochain, ces tests deviendront peut-être la norme pour évaluer l'immunité des chiens face aux maladies, mais bien des questions restent encore sans réponse. Pour l'instant, ces tests peuvent vous aider, ainsi que votre vétérinaire, à prendre des décisions éclairées en ce qui a trait aux besoins de votre chien en matière de vaccination contre certaines maladies. Mais il vous faudra aussi tenir compte d'autres facteurs, comme l'âge de l'animal, ses antécédents en matière de vaccins, ses contacts avec d'autres chiens et son état de santé général.

Q Les vaccins peuvent-ils rendre mon chien malade ?

R Oui, en dépit de tout le bien qu'ils peuvent faire, les vaccins ont parfois des effets indésirables. N'importe quel chien peut avoir une réaction allergique à un vaccin. La réaction survient habituellement quelques minutes ou quelques heures après la vaccination, et les symptômes peuvent aller des vomissements, de la diarrhée et d'une enflure de la région de la face et de la tête (urticaire) à l'état de choc. Une intervention d'urgence peut s'avérer nécessaire pour sauver la vie du chien. Les vaccins peuvent aussi déclencher un autre type de réaction néfaste, l'anémie hémolytique auto-immune (AHAI). Cette réaction se produit lorsque, pour un certain nombre de raisons, le système immunitaire de votre chien se retourne contre lui-même et se met à détruire les globules rouges du sang. La vaccination n'est qu'une des causes possibles de l'AHAI, qui peut survenir non seulement chez les chiens, mais aussi chez les humains et chez d'autres espèces. Dans la plupart des cas, les chiens atteints d'AHAI répondent favorablement aux traitements médicaux. Assurez-vous de consulter votre vétérinaire sur les autres causes possibles d'AHAI.

Même si elle a parfois des effets indésirables, la vaccination est l'une des méthodes les plus efficaces dont nous disposons pour protéger les chiens contre certaines maladies. Vous devez absolument discuter à fond avec votre vétérinaire afin de déterminer quels sont les vaccins qui sont réellement nécessaires ainsi que les avantages et les inconvénients de la vaccination.

Q La micropuce est-elle un bon moyen d'établir l'identité de mon chien ?

R Bien que le collier et la médaille restent la meilleure façon d'établir l'identité des chiens, la micropuce constitue une bonne méthode d'appoint. À peine plus grosse qu'un grain de riz, la micropuce est insérée sous la peau du chien, entre les omoplates, au moyen d'une aiguille légèrement plus grosse que celle qu'on utilise pour la vaccination. Il s'agit d'une intervention rapide et peu douloureuse, qu'on réalise habituellement sans endormir l'animal. Si votre chien est particulièrement sensible aux aiguilles, votre vétérinaire pourra procéder à une anesthésie locale, donner un sédatif à l'animal ou l'endormir complètement. Si votre chien doit subir dans l'avenir une intervention courante nécessitant une anesthésie, comme une stérilisation ou un nettoyage des dents, demandez à votre vétérinaire d'en profiter pour implanter la micropuce.

La micropuce contient un numéro d'identité encodé électroniquement qui est détectable par des scanneurs employés dans les refuges pour chiens et les agences de contrôle des animaux. Vous devez enregistrer vos coordonnées auprès d'une agence nationale de façon qu'on puisse communiquer avec vous à partir du numéro de la micropuce. Sans cet enregistrement, la micropuce ne pourra pas servir à ramener votre chien à la maison. Cependant, même si votre chien est muni d'une micropuce, la meilleure protection à lui fournir consiste à en prendre soin de façon responsable. Tous les chiens devraient être gardés dans un endroit sûr et étroitement surveillés.

Q Comment prendre soin de la dentition de mon chien ?

R L'haleine de chien n'a rien d'agréable. Les maladies dentaires constituent un problème de santé grave, et presque tous
les chiens en souffrent à un moment ou à un autre de leur vie.
Lorsque des particules de nourriture se logent entre les dents
de votre chien, les substances organiques et les bactéries finissent par former un agglomérat de consistance dure appelé tar-
tre dentaire. Cette substance, qui est remplie de bactéries, se
dépose entre la surface de la dent et la gencive, ce qui peut
provoquer une inflammation des gencives (gingivite). Mais ce
qui est encore plus grave, c'est que les bactéries qui se trouvent sur la surface des dents malsaines et autour de celles-ci
peuvent facilement pénétrer dans le sang, puis aller infecter le
foie, les valvules cardiaques et les reins. Malheureusement, la
maladie qui s'ensuit risque de raccourcir la vie de votre compagnon. Un brossage quotidien avec un dentifrice enzymatique
conçu pour les chiens peut aider à prévenir les maladies dentaires. Il existe aussi des aliments spéciaux, des rince-bouches,
des gâteries à mâcher et des gels qui contribuent à prévenir et
à contrer les maladies dentaires chez les chiens. En tant que propriétaire responsable, engagez-vous à établir à la maison un programme de soins dentaires pour votre compagnon. Discutez des
diverses possibilités en la matière avec votre vétérinaire et voyez
à faire examiner les dents de votre chien une fois par année.

Q Quels sont les vaccins que mon chien devrait recevoir et à quel moment doit-il se faire vacciner?

R Vaccination ne veut pas dire immunisation. La vaccination est l'acte d'inoculer un vaccin au chien, tandis que l'immunisation est la réaction du système immunitaire de l'animal au vaccin. Votre chien n'est protégé (immunisé) que dans la mesure où son système immunitaire est capable de recevoir le vaccin et de produire des anticorps protecteurs qui pourront reconnaître le virus ou la bactérie porteurs de la maladie.

Les chiots reçoivent une série de vaccins, habituellement entre l'âge de huit et de seize semaines. Si le chiot et sa mère sont en bonne santé, cette dernière lui transmettra des anticorps au cours de l'allaitement. À l'âge de huit semaines environ, ces anticorps commencent à se désintégrer, et l'immunité transmise au chiot par sa mère s'affaiblit peu à peu. Pour protéger le jeune chien, on lui injecte un vaccin dès l'âge de huit semaines. Cependant, étant donné que les anticorps en provenance de la mère qui subsistent dans l'organisme du chiot détruiront le vaccin, le système immunitaire du chiot risque de ne pas répondre au vaccin, qui n'aura par conséquent aucun effet protecteur. C'est la raison pour laquelle on administre une nouvelle dose du vaccin de deux à quatre semaines plus tard, puis une autre, jusqu'à ce que le vétérinaire ait la certitude que le chien est adéquatement immunisé.

Les chiens adultes qui n'ont jamais été vaccinés devraient eux aussi recevoir une série de vaccins, en général deux doses pour chacun. Lorsqu'un chien reçoit un vaccin pour la première fois, son système immunitaire met un certain temps à réagir, et l'immunité générée est de courte durée. À la deuxième injection, le système immunitaire réagit plus rapidement et la protection immunitaire se maintient pendant une longue période, c'est-à-dire pendant des mois et même des années. Habituellement, les experts en médecine vétérinaire recommandent à partir de là une vaccination annuelle pour renforcer l'immunité du chien face à certaines maladies. Aujourd'hui, nous en savons davantage sur les rares mais possibles effets indésirables de la vaccination, et des recherches sont en cours afin de déterminer si les chiens sont vaccinés trop fréquemment. De plus, tous les chiens n'ont pas besoin de recevoir un vaccin contre toutes les maladies. En fait, votre chien n'a probablement pas besoin de certains vaccins en raison d'un faible risque d'exposition aux maladies correspondantes.

La plupart des vétérinaires s'entendent pour dire que certains vaccins doivent être administrés à tous les chiens, soit les vaccins contre la maladie de Carré, l'adénovirus canin (également appelé virus de l'hépatite), le parvovirus canin et le virus para-influenza canin. Parmi les autres vaccins d'importance, qui devraient être administrés en fonction du risque d'infection, on compte les vaccins contre la leptospirose, le coronavirus canin, la toux de chenil (une combinaison de la bactérie Bordetella bronchiseptica et du virus para-influenza), la maladie de Lyme et le parasite intestinal connu sous le nom de Giardia sp. Si votre chien est peu susceptible d'être exposé à l'une de ces maladies, il est possible qu'un vaccin soit inutile.

Q De quel type de toilettage mon chien a-t-il besoin ?

R La quantité et la nature des soins dont votre chien a besoin peuvent varier grandement selon sa race et son type de pelage, l'environnement où il évolue et son mode de vie. Certains chiens n'ont presque pas besoin de toilettage, alors que d'autres nécessitent des soins quotidiens pour demeurer à l'aise et en santé. Les personnes qui songent à se procurer un chien devraient sérieusement penser à la quantité de temps, d'argent et d'effort qu'elles sont prêtes à consacrer aux soins de leur compagnon. Un chien mal entretenu risque d'être infesté de parasites (puces ou tiques), de souffrir d'irritations cutanées, d'avoir des coussinets douloureux et d'être affligé de troubles médicaux cachés comme des tumeurs cutanées. Les toiletteurs professionnels offrent tous les services dont les chiens ont besoin, mais c'est le propriétaire qui doit décider de la fréquence et de la nature des séances de toilettage.

Le toilettage comprend la coupe des griffes, le nettoyage des oreilles, les soins dentaires ainsi que l'entretien de la peau et du poil. Certains chiens ont rarement besoin d'un bain, mais la plupart devraient être lavés environ une fois par mois. Pour le bain, les vétérinaires spécialisés en dermatologie recommandent d'utiliser un shampooing spécialement conçu pour les chiens, car la peau de ces derniers n'a pas la même acidité que celle des humains. Pour trouver le shampooing qui convient le mieux à votre chien, vous devrez en essayer plusieurs, tout comme vous le faites pour vos propres produits capillaires. Un produit qui fait des merveilles pour le pelage du shar-pei de votre voisin n'est peut-être pas un bon choix pour votre lévrier, mais ce n'est qu'en l'essayant que vous le saurez. Il existe une vaste sélection de shampooings et de conditionneurs pour chiens, et votre vétérinaire pourra vous fournir des shampooings médicamenteux et d'autres produits conçus pour les chiens dont la peau est irritée ou sèche.

Q **Comment dois-je procéder pour prendre la température de mon chien ?**

R   La prise de la température de votre chien vous permettra de savoir s'il est malade et de fournir à votre vétérinaire des renseignements précis sur son état. Au toucher, la température de la peau — la chaleur ou la fraîcheur de la peau, des oreilles ou du museau — peut être trompeuse. La température corporelle réelle doit être déterminée à l'aide d'un thermomètre rectal. Les thermomètres de type buccal conçus pour les humains peuvent être employés en mode rectal chez les chiens. Il peut s'agir de thermomètres au mercure en verre ou de thermomètres en plastique à pile avec affichage numérique. Vous pouvez aussi employer un thermomètre rectal conçu pour les bébés. S'ils sont peu coûteux, les thermomètres en verre sont par contre très fragiles, et le verre brisé ainsi que le mercure liquide (toxique) qui s'en échappe lorsqu'ils se brisent présentent un danger pour la santé. Les thermomètres numériques, quant à eux, sont faciles à employer sur les chiens car ils ne se brisent pas facilement ; ils sont également dotés d'une extrémité plus petite que celle des thermomètres en verre, et nombre d'entre eux émettent un son lorsque la température finale est atteinte. Toutefois, ils ne sont pas toujours aussi précis que les thermomètres en verre lorsque la température corporelle de l'animal est très haute ou très basse.

Avant d'introduire le thermomètre dans le rectum de votre chien, assurez-vous que l'instrument est propre et lubrifiez-en l'extrémité avec de la vaseline ou un peu de savon liquide. Si vous employez un thermomètre en verre, secouez-le jusqu'à ce que le mercure descende en bas de la marque des 32,22 degrés Celsius (°C). Soulevez délicatement d'une main la queue de l'animal et, de l'autre, insérez doucement l'extrémité de l'instrument avec un mouvement de rotation jusqu'à ce que le thermomètre soit enfoncé à une profondeur d'environ deux centimètres et demi. Tenez le thermomètre pendant toute l'opération. Si la plupart des chiens supportent bien cette intervention (surtout si vous distrayez votre compagnon avec des paroles réconfortantes), certains autres se montrent plus récalcitrants. Il se peut que l'aide d'une deuxième personne soit nécessaire pour immobiliser l'animal. Certains chiens deviennent si agités qu'ils font grimper leur température corporelle. Si c'est le cas du vôtre, déterminez si la prise de température importe au point de lui faire subir tout ce stress. Prenez régulièrement la température de votre animal, en commençant dès son arrivée dans votre foyer afin de l'habituer. Cela vous permettra aussi de savoir quelle est sa température normale. La température corporelle normale d'un chien varie entre 37,5 et 39 °C.

Q Dois-je nettoyer les oreilles de mon chien? Quelle est la meilleure méthode?

R La plupart des chiens doivent se faire nettoyer les oreilles de temps en temps, et les chiens souffrant d'infections chroniques des oreilles nécessitent un nettoyage régulier, habituellement deux fois par semaine même en l'absence d'infection. Si votre chien n'a pas de problèmes auriculaires, nettoyez-lui les oreilles avec un tissu doux ou un tampon de gaze. Essuyez simplement les dépôts que vous pouvez atteindre en enroulant le morceau de tissu ou de gaze autour de l'extrémité de votre doigt. Utilisez un coton-tige pour nettoyer les interstices de l'oreille, en évitant toutefois de l'enfoncer dans le conduit auditif de l'animal, car cela pourrait entraîner un entassement de saletés autour du tympan. Si vous n'arrivez pas à déloger aisément les saletés qui sont logées dans les oreilles de votre chien, ou si cette opération lui cause de l'inconfort, consultez votre vétérinaire.

Si votre chien a déjà souffert d'une infection de l'oreille, demandez à votre vétérinaire comment procéder pour lui nettoyer adéquatement les oreilles, à quelle fréquence vous devriez le faire et quel produit employer. En général, l'emploi, deux fois par semaine, d'une solution acide qui assèche le conduit auditif contribue à prévenir les infections bactériennes et les infections aux levures. Ce nettoyage bihebdomadaire vous permet aussi de vérifier la présence de tout signe d'infection dans les oreilles de votre compagnon. Vous devriez également nettoyer les oreilles de votre chien chaque fois que vous lui donnez un bain ou après qu'il a nagé, car l'eau qui reste bloquée dans les oreilles peut causer un ramollissement de la peau et entraîner une inflammation ou une infection.

Q À quelle fréquence dois-je emmener mon chien chez le vétérinaire ?

R Tout dépend de l'âge du chien, de son état de santé et de son mode de vie. Lorsque vous adoptez un chiot (habituellement quand il est âgé d'environ huit semaines), vous devriez immédiatement l'emmener chez le vétérinaire afin d'entreprendre une série de vaccins. Pendant les premiers mois de la vie du chien, votre vétérinaire examinera l'animal, lui donnera les soins nécessaires et vous prodiguera des conseils utiles toutes les trois ou quatre semaines. Les chiens adultes en santé devraient voir le vétérinaire une fois par année pour subir un examen physique complet. La visite annuelle n'est pas essentiellement consacrée à la vaccination, mais à bien d'autres choses. En effet, à l'occasion de cette visite, le vétérinaire et le personnel médical en profiteront pour vous recommander de nouveaux produits et des interventions qui pourraient être avantageux pour votre chien et pour discuter de vos préoccupations concernant le comportement de votre compagnon.

Au fur et à mesure que votre chien prend de l'âge, il devient plus susceptible d'être atteint de maladies comme le cancer, les troubles rénaux, le glaucome ainsi qu'une panoplie d'autres problèmes qui peuvent apparaître et s'aggraver rapidement. Deux visites par année sont nécessaires pour les chiens âgés, c'est-à-dire ceux qui ont de sept à dix ans.

Si votre chien a un problème de santé en particulier, comme le diabète, l'hypothyroïdie ou un trouble cardiaque, votre vétérinaire vous indiquera combien de fois par année il devrait subir un examen. Bien sûr, une visite chez le vétérinaire s'impose chaque fois que votre chien semble malade. Si vous n'êtes pas certain que les symptômes de votre chien sont suffisamment graves pour justifier une visite chez le vétérinaire, n'hésitez surtout pas à téléphoner à la clinique ; le personnel sera en mesure de vous dire si votre chien devrait être examiné.

Chapitre 5

. . . .

Premiers soins
et soins d'urgence

Un accident est si vite arrivé, et une bonne préparation à toute éventualité — qu'il s'agisse d'une blessure, d'un empoisonnement, d'un coup de chaleur ou d'un autre type d'accident — fait partie des responsabilités de tout propriétaire d'un chien. Vous devriez toujours prendre soin de votre chien de façon à prévenir la plupart des accidents, mais il vous faut aussi savoir quoi faire si une situation d'urgence devait se présenter en dépit de vos précautions.

Q Qu'est-ce qu'un coup de chaleur et que dois-je faire si cela se produit ?

R L'organisme du chien ne peut fonctionner normalement qu'à l'intérieur d'une étroite fourchette de températures, habituellement entre 37,5 et 39 °C. Le coup de chaleur survient quand l'organisme du chien produit (par l'exercice) ou absorbe (de l'environnement) plus de chaleur qu'il n'en élimine. Lorsque la température corporelle du chien atteint 42,8 °C ou plus, l'animal subit un coup de chaleur, et les cellules de son corps se mettent à mourir rapidement. En quelques minutes seulement, un œdème cérébral, un ralentissement de la circulation sanguine vers l'estomac et les intestins et une grave déshydratation peuvent survenir, qui provoquent respectivement des convulsions, des ulcères et des dommages irréversibles aux reins.

Les chiens sont plus vulnérables aux effets de la chaleur que les humains, en partie parce que les mécanismes de régulation thermique de leur peau sont différents. Ainsi, lorsque le corps humain subit un excès de chaleur, les glandes sudoripares produisent de la sueur et le sang qui circule dans les capillaires se refroidit à mesure que la sueur s'évapore. La peau des chiens, en revanche, est conçue plus pour protéger l'animal contre le froid que pour le rafraîchir ; le chien ne possède pas de glandes sudoripares ni de capillaires permettant de refroidir son sang. Pour se rafraîchir, les chiens halètent afin d'introduire de l'air frais dans leurs poumons et de dissiper la chaleur accumulée dans leur organisme. Les vaisseaux sanguins qui irriguent la langue et la gueule se rafraîchissent à mesure que la salive du chien s'évapore. Une certaine quantité de chaleur peut également être éliminée par l'urine.

Les chiens pourvus d'une petite tête et d'un museau court n'ont pas la constitution idéale pour se rafraîchir adéquatement par le halètement, ce qui les rend plus vulnérables aux coups de chaleur. Les chiens âgés, les chiots, les chiens malades et les chiens peu habitués aux températures chaudes sont particulièrement à risque, mais même les chiens en santé qui vivent à l'extérieur peuvent être victimes d'un coup de chaleur lorsque la température est très chaude ou lorsqu'ils ont fait une activité physique intense.

Lorsqu'un chien atteint la zone dangereuse — le point où il devient incapable de faire baisser lui-même la température de son corps —, il commence à présenter les premiers symptômes caractéristiques du coup de chaleur. Il halète bruyamment et abondamment, salive profusément et montre une agitation suspecte. Sa langue ainsi que l'intérieur de sa gueule deviennent secs et violacés ou rouge foncé. Ses yeux prennent une apparence vitreuse, et l'animal a de la difficulté à marcher ou même à se tenir debout. Lorsque la température corporelle approche de 42,8 °C, le chien se met à avoir des haut-le-cœur et à vomir. Bientôt, l'animal tombe en état de choc, car son organisme achemine tout le sang disponible vers les principaux organes, soit le cœur, le foie, les reins, le cerveau et les poumons. S'ensuit alors un œdème cérébral entraînant convulsions et perte de conscience. Il arrive aussi que le sang du chien se mette à coaguler, phénomène connu sous le nom de coagulation intravasculaire disséminée (CIVD). Dans ces circonstances, les facteurs sanguins nécessaires à la coagulation en viennent rapidement à manquer et l'animal se met à saigner abondamment. De petites et de grosses taches violettes apparaissent alors sur tout son corps, car l'hémorragie entraîne une infiltration du sang dans les tissus sous-cutanés. À ce stade, la mort est imminente.

Si vous croyez qu'un chien est en proie à un coup de chaleur, n'hésitez pas à passer à l'action. Avant tout, mettez l'animal à l'abri de la chaleur le plus rapidement possible en l'emmenant dans un endroit ombragé ou à l'intérieur. Puis, évaluez son état. Est-il capable de se tenir debout, est-il conscient, halète-t-il ? Si les signes de coup de chaleur viennent de commencer à se manifester, emmenez-le dans un endroit frais et donnez-lui de l'eau à boire fréquemment, mais en petite quantité. Prenez sa température (voir le chapitre 4, « Vaccins et soins courants », la section « Comment dois-je procéder pour prendre la température de mon chien ? »). Si la température est de 40 °C ou moins, gardez le chien dans un endroit frais, surveillez-le de près et continuez à lui donner à boire. Ne le laissez pas boire de grandes quantités d'eau, car il risque de vomir, ce qui contribuera à le déshydrater davantage. Une fois que le chien s'est calmé et que sa température corporelle a baissé, téléphonez à votre vétérinaire afin de déterminer si l'animal a besoin d'être vu.

Si le chien est incapable de se tenir debout, s'il ne réagit pas (il ne semble pas vous reconnaître ni avoir conscience de votre présence) ou s'il a des convulsions, vous devez lui administrer des soins immédiats. Vérifiez s'il respire et palpez-lui la poitrine afin de déterminer si son cœur bat encore. Pendant que vous transportez le chien dans un endroit frais et que vous prenez sa température, demandez à quelqu'un de téléphoner à l'hôpital vétérinaire et de prendre des arrangements pour que vous puissiez y conduire le chien sans délai. Si la température excède 40 °C, essayez de la faire baisser en aspergeant l'animal d'eau fraîche — et non pas froide. Pour ce faire, utilisez des serviettes de bain trempées dans l'eau ou un tuyau d'arrosage. Concentrez-vous sur la tête et le cou ainsi que sur les régions situées sous les pattes de devant et de derrière. Rincez soigneusement la langue pour la rafraîchir, en prenant soin de ne pas laisser d'eau couler dans la gorge de l'animal, car elle risque de s'infiltrer dans les poumons. Au bout de quelques minutes seulement, arrêtez-vous et prenez de nouveau la température de l'animal. Une fois que celle-ci est retombée à 40 °C, cessez la procédure de refroidissement. En effet, un refroidissement excessif risque d'entraîner une coagulation du sang ou même une baisse néfaste de la température corporelle, car le chien est incapable de maîtriser son système de régulation thermique. Même si l'animal semble rétabli, conduisez-le immédiatement à l'hôpital vétérinaire.

Q Quelles sont les plantes qui constituent un poison pour mon chien?

R Les dangers d'empoisonnement que peut présenter une plante pour votre chien dépendent de la quantité ingérée et absorbée. Même des plantes non toxiques peuvent causer des symptômes modérés comme des vomissements et de la diarrhée si votre chien en mange. Certaines plantes sont toxiques en petite quantité et d'autres, en grande quantité seulement. En général, vous feriez bien de limiter l'accès de votre chien à toutes vos plantes d'intérieur ou ornementales, en particulier s'il est porté à mâchonner les végétaux. Si votre chien a accidentellement ingéré une plante en grande quantité, communiquez avec votre vétérinaire pour savoir comment le traiter.

L'Animal Poison Control Center de l'American Society for the Prevention of Cruelty to Animal (ASPCA), situé dans la ville d'Urbana, en Illinois, compte parmi son personnel des vétérinaires toxicologues agréés, des vétérinaires autorisés et des techniciens vétérinaires diplômés. Son numéro d'urgence (1 888 4-ANI-HELP) est accessible 24 heures sur 24 et sept jours sur sept aux vétérinaires et aux propriétaires de chiens. Comme les services ne sont pas gratuits, assurez-vous d'avoir en main votre carte de crédit. Le personnel répondra de façon rapide et professionnelle à toutes vos questions sur les produits chimiques toxiques, les plantes toxiques et les autres substances ou produits dangereux qui se trouvent dans l'environnement de votre chien. Le site Web du centre (<www.aspca.org/apcc>) comprend des listes à jour des plantes toxiques et non toxiques.

Q Le chocolat est-il toxique pour les chiens ?

R Beaucoup de gens ont de la difficulté à croire que le chocolat constitue un poison pour les chiens parce qu'il leur arrive à l'occasion de donner à leur toutou une friandise chocolatée sans que l'animal réagisse défavorablement. Or, comme pour toutes les substances potentiellement nocives, il importe de comprendre que la toxicité dépend de la dose. En d'autres mots, le risque que courra votre chien de tomber malade et la gravité de ses symptômes dépendront de la quantité de l'ingrédient toxique qu'il aura ingérée et absorbée. L'élément toxique contenu dans le chocolat est un composant apparenté à la caféine appelé théobromine qui est facilement métabolisé par les humains, mais pas par les chiens. Une surdose de ce produit entraîne les mêmes symptômes qu'une surdose de caféine : troubles gastro-intestinaux, accélération du rythme cardiaque, faiblesse générale et convulsions causées par une stimulation excessive du système nerveux. Ces troubles peuvent entraîner la mort. La dose toxique pour un chien pesant 10 kg (environ 22 livres) est de 1000 à 1500 milligrammes de théobromine. Par 28 grammes (une once), le chocolat au lait contient de 40 à 50 milligrammes de théobromine, le chocolat mi-sucré en contient 150 milligrammes et le chocolat foncé ou non sucré, 390 milligrammes (presque 10 fois plus que le chocolat au lait). Par conséquent, un chien pesant 10 kg n'est pas censé manifester de signes d'intoxication à moins d'avoir avalé entre 565 et 850 grammes de chocolat au lait, bien que certains chiens se mettraient à vomir et à souffrir de diarrhée à des doses beaucoup moindres.

Si vous croyez que votre chien a ingéré une dose toxique de chocolat, essayez immédiatement de réduire l'absorption du produit en forçant l'animal à vomir. La plupart des chiens se mettent à vomir lorsqu'on leur donne une cuillerée à thé (pour les chiens de petite taille) ou une cuillerée à soupe (pour les chiens de grande taille) de peroxyde d'hydrogène par voie buccale. Que votre chien vomisse le chocolat ou qu'il manifeste des signes d'intoxication tels que diarrhée, tremblements, halètements, faiblesse ou convulsions, communiquez immédiatement avec votre vétérinaire pour obtenir aide et conseils.

Q   Mon chien s'est blessé ou est malade et je n'ai pas les moyens de le faire soigner. Que puis-je faire ?

R   Inévitablement, il arrivera à votre animal d'avoir besoin de soins vétérinaires en cas de maladie ou de blessure imprévues. Même si la médecine vétérinaire est en mesure de procurer des soins et des traitements très avancés pour guérir bien des maladies canines, ces traitements peuvent mettre certains propriétaires de chiens dans l'embarras financier. Or il existe des assurances couvrant les soins vétérinaires, que je vous recommande chaudement. Sans ce type de protection, c'est vous seul qui devrez supporter les coûts des soins prodigués à votre compagnon. Dans certaines communautés, il existe des programmes caritatifs qui aident les gens à payer les soins vétérinaires d'urgence ou prolongés, mais ce type de ressource est plutôt rare. Si vous êtes porté à croire que votre vétérinaire devrait vous fournir des traitements gratuits — après tout, n'a-t-il pas décidé de consacrer sa vie au bien-être des animaux ? —, n'oubliez pas que les cliniques vétérinaires sont de petites entreprises privées et que peu d'entre elles peuvent se permettre d'offrir des programmes de crédits pour les clients en manque de fonds, et ce même si la santé de leurs patients leur tient énormément à cœur.

Vous devez avoir une discussion franche et sincère avec votre vétérinaire sur la gravité de la maladie ou de la blessure dont est affligé votre chien et sur son pronostic de guérison. Si le traitement a peu de chances de sauver la vie de votre compagnon ou de lui permettre de jouir d'une bonne qualité de vie, l'euthanasie pourrait être la solution la plus humaine à envisager. Les frais des services d'euthanasie sont beaucoup moins élevés que ceux des interventions d'urgence ou des soins intensifs. La plupart des refuges pour animaux offrent aussi des services d'euthanasie à un coût minime, voire gratuitement. S'il s'agit assurément d'une décision extrêmement difficile à prendre, elle représente tout de même un choix plus humain que de laisser votre chien souffrir pendant des heures ou des jours jusqu'à ce qu'il rende l'âme. La cruauté envers les animaux, y compris le défaut de procurer des soins médicaux à un animal qui souffre, est un acte illégal dans la plupart des endroits.

En revanche, si le pronostic de guérison est bon, vous pouvez trouver des moyens de payer les traitements. Si votre portefeuille est vide, voici quelques suggestions :

Ayez recours au crédit. Presque toutes les cliniques vétérinaires acceptent les cartes de crédit et certaines participent même à des programmes qui vous permettent de faire une demande de carte de crédit spécialement conçue pour couvrir les coûts des soins vétérinaires. Si vous possédez déjà une carte, mais que vous avez atteint votre limite de crédit, téléphonez à votre institution bancaire pour demander une augmentation de crédit ou une avance en liquides.

Demandez à votre vétérinaire si vous pouvez établir avec lui un plan de paiement. Attendez-vous toutefois à vous faire dire non. En effet, trop de vétérinaires ont dû essuyer des pertes de centaines ou de milliers de dollars en raison de défauts de paiement après avoir consenti des services à des clients qui n'avaient pas les moyens de payer tout de suite.

Communiquez avec le ou les refuges pour animaux de votre quartier afin de savoir quels sont les programmes d'aide offerts en matière de soins vétérinaires. Cherchez dans les Pages jaunes sous la rubrique Animaux-Protection-Refuges.

Songez à des moyens d'économiser de petites sommes d'argent qui pourraient être consacrées au paiement des soins vétérinaires de votre chien. Brisez la tirelire, fouillez sous les coussins du canapé, cherchez dans tous les recoins de la maison où vous pourriez trouver des sous. Obtenez un prêt en mettant des biens en gage ou organisez une vente-débarras si vous avez le temps : une télévision, un magnétoscope, des outils, une montre, etc., sont autant d'objets remplaçables, ce qui est loin d'être le cas pour votre fidèle compagnon. Songez à occuper un emploi à temps partiel pendant une période limitée. Demandez à votre employeur une augmentation de salaire. Demandez à chacun de vos amis et des membres de votre famille de vous faire un don ou un prêt de 25 $. Faites connaître au vétérinaire l'ampleur de vos efforts pour trouver de l'argent et il sera d'autant plus ouvert à des arrangements avec vous. Et n'interrompez surtout pas vos paiements sous prétexte que l'état de votre chien semble s'améliorer. Vous avez toujours une dette légitime pour services rendus, et le vétérinaire est en droit d'intenter des poursuites contre vous pour défaut de paiement et même de refuser de fournir à votre chien des soins additionnels.

Enfin, essayez de planifier à l'avance pour être en mesure de faire face à toutes les éventualités en matière de soins vétérinaires. Procurez-vous une assurance couvrant les soins vétérinaires ou ouvrez un compte d'épargne dans lequel vous déposerez quelques dollars par mois. Prévenez les accidents et les maladies en gardant en tout temps votre chien en lieu sûr afin de le protéger des attaques d'autres animaux et des maladies infectieuses, des accidents de la route et des empoisonnements accidentels. Prévoyez une visite annuelle chez le vétérinaire, pour que celui-ci soit en mesure de détecter les signes avant-coureurs de problèmes de santé imminents avant que ces problèmes s'aggravent et exigent des soins plus coûteux.

Q Mon chien s'est blessé. Comment puis-je arrêter les saignements ?

R Une blessure qui saigne peut avoir un effet très saisissant, et même la plus petite quantité de sang peut sembler immense lorsqu'elle s'étale sur une grande surface. Votre chien peut saigner s'il a été mordu par un autre animal ou heurté par une voiture, s'il marche ou tombe sur un objet coupant, s'il se casse une griffe ou à la suite d'une multitude d'autres traumatismes. Même si l'écoulement de sang vous impressionne, vous devez absolument commencer par évaluer l'état général de l'animal. Est-il alerte et éveillé ou semble-t-il désorienté ? Est-il capable de se tenir debout et de marcher normalement ou ses membres semblent-ils endommagés ? Respire-t-il normalement ? Le sang s'écoule-t-il lentement, comme lorsque vous vous infligez une coupure, ou gicle-t-il de façon rythmée, indiquant qu'une artère est sectionnée ? Si la blessure semble plus grave qu'un simple petit bobo, communiquez avec l'hôpital vétérinaire pour savoir quoi faire et prenez des arrangements pour pouvoir y conduire le chien immédiatement.

Certaines blessures simples qui saignent, comme une griffe arrachée ou une coupure à la patte ou à l'oreille, devraient quand même être examinées par le vétérinaire, sans pour autant nécessiter une intervention d'urgence. Nettoyez la blessure avec de l'eau tiède et propre en grande quantité, puis appliquez une légère pression sur l'endroit atteint avec une serviette propre et sèche. Si les saignements persistent ou si la blessure résulte d'une morsure, emmenez votre chien chez le vétérinaire.

Q Y a-t-il quelque chose à la maison que je puisse donner à mon chien pour soulager la douleur ?

R N'administrez sous aucun prétexte un médicament à votre chien sans avoir consulté au préalable votre vétérinaire. Le type de médicament à donner à un chien ainsi que la dose adéquate dépendent de l'âge de l'animal, de son état de santé général, de sa taille et de l'existence d'autres problèmes de santé. Les chiens ne métabolisent pas les médicaments de la même façon que les humains. Ainsi, un médicament qui est sans danger pour vous peut avoir l'effet d'un poison dans l'organisme de votre chien. Si votre vétérinaire examine votre animal régulièrement et connaît bien son état de santé, il sera en mesure de vous indiquer si vous pouvez faire prendre à votre compagnon un analgésique en vente libre. Toutefois, il est plus probable qu'un médicament conçu spécialement pour les chiens et prescrit par votre vétérinaire à la suite d'un examen méticuleux constituera le choix le plus sûr et le plus efficace.

Q Comment puis-je pratiquer la réanimation cardiorespiratoire (RCR) sur mon chien ?

R Le but de la RCR est d'aider le cœur à battre afin de maintenir la circulation d'oxygène dans les poumons — et, par conséquent, dans le corps en entier — chez une personne (ou un chien) qui a perdu conscience. Chez les chiens, comme chez les humains, la RCR est une solution de dernier recours, une intervention d'urgence que l'on effectue quand il est impossible de conduire immédiatement le patient à l'hôpital.

Pour déterminer si votre chien a besoin d'une RCR, vous devez faire trois vérifications de base, concernant les voies respiratoires, la respiration et la circulation.

Les voies respiratoires. Assurez-vous que la bouche et la gorge de l'animal sont libres de toute obstruction. Couchez le chien sur le côté et, avec le doigt, libérez la gorge de tout liquide ou corps étranger.

La respiration. Observez le chien afin de déterminer s'il respire. Vérifiez si sa poitrine se soulève et s'abaisse. Tenez un petit miroir à proximité de ses narines pour voir s'il y a formation de buée. Si l'animal respire, la RCR est inutile. Conduisez immédiatement le chien chez le vétérinaire pour lui faire passer un examen et pour qu'il obtienne les soins dont il a besoin.

La circulation. Il existe plusieurs façons de déterminer si le cœur d'un chien bat toujours. Si vous possédez un stéthoscope (en vente dans toutes les pharmacies), appliquez-le sur le côté gauche de la poitrine du chien, juste au-dessus du coude, et écoutez les battements cardiaques. Vous pouvez aussi pincer doucement cette région de la poitrine entre le pouce et les doigts afin de sentir les battements du cœur de l'animal. Mais le meilleur endroit pour vérifier le pouls d'un chien est l'intérieur de la cuisse, au point d'intersection entre la jambe et le corps. Exercez-vous, lorsque votre chien se porte bien, à trouver son pouls jusqu'à ce que vous y arriviez sans problème. Le rythme cardiaque normal pour un petit chien (moins de 13 kg) est de 100 à 160 battements par minute ; pour un chien de taille moyenne (plus de 13 kg), il est de 60 à 100 battements par minute, et pour un chiot (âgé de moins d'un an), de 120 à 160 battements par minute.

Si le sang ne circule pas (c'est-à-dire si le cœur ne bat pas), prenez la poitrine du chien entre les doigts et le pouce (dans le cas d'un chiot ou d'un chien de petite taille) ou entre les deux mains ; n'oubliez pas que le cœur du chien se trouve juste au-dessus du coude. Faites des compressions thoraciques en procédant avec soin et délicatesse afin de ne pas briser les côtes du chien s'il est de petite taille, jeune ou âgé.

Pour pratiquer la respiration artificielle, englobez la bouche et le nez du chien avec votre bouche. Expirez juste assez d'air pour faire en sorte que la poitrine de l'animal se soulève légèrement. S'il s'agit d'un chien de grande taille, tenez-lui la gueule fermée et expirez dans ses narines. Si vous faites des compressions thoraciques, insufflez de l'air une fois à toutes les trois à cinq compressions, puis vérifiez si le chien a un pouls ou s'il respire par lui-même. Si son cœur bat, mais qu'il ne respire pas, insufflez-lui de l'air à toutes les deux ou trois secondes. Transportez-le au plus vite à l'hôpital vétérinaire.

Q Comment faire pour venir en aide à un chien qui est en train de s'étouffer ?

R Il est rare que les chiens s'étouffent, mais lorsque cela se produit, c'est habituellement parce que l'animal a avalé de travers un gros morceau de nourriture ou un jouet (le plus souvent une petite balle) qui s'est logé dans les voies respiratoires, ce qui entraîne une obstruction de celles-ci. Un chien qui s'étouffe a l'air anxieux et éprouve de la difficulté à respirer. Il peut arriver qu'il perde conscience en peu de temps. Lorsque le chien est affaibli ou inconscient, il est souvent possible de plonger les doigts dans le fond de la gorge de l'animal et de déloger l'objet si l'obstruction n'est pas trop profonde. Ouvrez la gueule du chien, tirez-lui la langue pour élargir la cavité buccale et, à l'aide d'une source de lumière comme une lampe de poche, tentez de localiser l'objet qui cause l'étouffement. Si vous ne voyez rien de particulier ou si vous êtes incapable de retirer le corps étranger avec les doigts, soulevez doucement le chien dans les airs en le tenant par les pattes de derrière, en faisant en sorte que sa tête pende vers le bas. Si le chien est trop gros pour que vous puissiez le soulever, faites-le tenir sur ses pattes de devant en soulevant ses pattes de derrière pour lui faire prendre la position de la brouette. Si cela n'entraîne pas l'expulsion du corps étranger, la manœuvre de Heimlich peut s'avérer nécessaire.

L'exécution de la manœuvre de Heimlich est identique pour les chiens et pour les humains. Placez-vous derrière le chien, puis enlacez-le avec les bras en mettant le poing juste au-dessous de la cage thoracique. Compressez l'abdomen à plusieurs reprises avec le poing en tirant brusquement vers le haut, puis vérifiez la gueule de l'animal pour voir si l'objet a été expulsé. Si c'est le cas mais que le chien ne respire toujours pas, pratiquez la RCR et communiquez avec l'hôpital vétérinaire.

Q Mon chien s'est fait piquer par une abeille (ou une guêpe ou un frelon). Que dois-je faire ?

R Les chiens réagissent aux piqûres d'insectes venimeux de la même façon que les humains — c'est-à-dire de bien des façons. Certains chiens réagissent peu ou pas du tout, alors que d'autres ont des réactions graves dont l'issue est parfois fatale. De toute évidence, une seule piqûre est moins susceptible de provoquer un problème qu'une attaque menée par une nuée d'insectes. Étant donné que le dard d'une abeille, d'une guêpe ou d'un frelon reste habituellement incrusté dans la peau du chien après la piqûre et risque de continuer à libérer du poison pendant quelque temps, vous devez l'enlever le plus rapidement possible. Si vous saisissez le dard à l'aide d'une pince à épiler, il dégagera encore plus de poison. Par conséquent, vous devriez plutôt gratter la surface de la peau avec une carte de crédit, ce qui devrait vous permettre de retirer le dard. Surveillez soigneusement la réaction de votre chien. Une enflure modérée, des rougeurs et des douleurs à l'endroit de la piqûre sont des signes normaux qui devraient se résorber d'eux-mêmes, habituellement sans traitement. Par contre, une enflure prononcée accompagnée de douleurs intenses, d'urticaire (apparition de grosses lésions enflées autour de la piqûre ou sur d'autres parties du corps), d'une gêne respiratoire ou d'une faiblesse soudaine sont tous des signes d'une réaction plus grave à la piqûre. Dans ces circonstances, vous devriez consulter immédiatement un vétérinaire.

Q Mon chien a un œil rouge et enflé. Que dois-je faire ?

R De nombreux facteurs peuvent provoquer des rougeurs et de l'enflure dans un œil ou dans les deux yeux de votre chien, trouble que l'on nomme conjonctivite. Les allergies et les blessures, par exemple quand un corps étranger se loge dans l'œil de l'animal, sont les causes les plus courantes de la conjonctivite. Parmi les autres causes possibles figurent le glaucome, les infections bactériennes, les infections attribuables au virus de Carré, les obstructions du canal lacrymo-nasal (le conduit qui permet aux fluides sécrétés par les yeux de s'écouler par le nez) et un trouble connu sous le nom de kérato-conjonctivite sèche (KCS) ou syndrome de l'œil sec (les glandes responsables de l'humidification de l'œil cessent de fonctionner correctement). Premièrement, nettoyez doucement les paupières et les cils de votre chien au moyen d'un linge humide. Observez la surface de l'œil pour déceler des traces de blessure ou la présence d'un corps étranger comme un brin d'herbe, un poil ou des saletés. Vous pouvez rincer l'œil de l'animal avec une solution ophtalmique saline, en vente dans les pharmacies. Si ces mesures n'entraînent pas immédiatement un soulagement de l'inflammation, communiquez avec votre vétérinaire. N'attendez pas, car même les blessures ou les maladies bénignes de l'œil peuvent rapidement dégénérer en affections susceptibles de menacer la capacité de vision de votre animal.

Q Mon chien saigne du nez. Comment expliquer ce problème ?

R Parmi les trois catégories de facteurs qui peuvent causer des saignements de nez chez le chien, la première englobe une série de problèmes de coagulation sanguine. Dans cette catégorie, les causes possibles des saignements sont notamment les infections bactériennes transmises par les tiques, les anomalies congénitales et les intoxications aux médicaments anti-inflammatoires non stéroïdiens ou aux raticides à base d'anticoagulant. La deuxième catégorie, qui est celle des dommages physiques à l'intérieur de la cavité nasale, comprend, entre autres, les blessures, les infections et les tumeurs. La troisième catégorie englobe les maladies vasculaires ou systémiques, comme l'hypertension causée par l'insuffisance rénale ou l'hyperactivité des glandes surrénales.

Déterminer la raison pour laquelle un chien saigne du nez peut constituer un processus long et frustrant. Votre vétérinaire effectuera probablement des tests de routine, telles une formule sanguine, une analyse biochimique du sérum et une analyse d'urine, puis recommandera peut-être une radiographie de la tête. Il pourra aussi procéder à des interventions plus effractives, comme un examen endoscopique de la cavité nasale, un drainage stérile des sécrétions nasales ou une biopsie d'une lésion trouvée à l'intérieur de la cavité nasale.

Chapitre 6

....

La reproduction

Beaucoup de gens qui m'écrivent à la revue Dog Fancy ont déjà laissé leur chienne devenir grosse avant de se rendre compte qu'ils n'étaient absolument pas préparés à élever des chiens de façon professionnelle. Nombre d'entre eux ne savent même pas combien de temps dure la gestation chez une chienne ni comment préparer l'animal à la mise bas. Même si les refuges pour animaux et les défenseurs des droits des animaux ont déployé beaucoup d'efforts pour éduquer le public et offrir des services en vue de prévenir la surpopulation canine, plus de deux millions de chiens sont toujours euthanasiés chaque année aux États-Unis, autant d'animaux qui auraient pu devenir de merveilleux compagnons. L'information contenue dans ce chapitre ne vise pas à vous encourager à faire accoupler votre animal ni à vous éduquer quant à la façon de procéder, mais plutôt à vous décourager de le faire pour vous éviter de vous retrouver avec une chienne gestante. Réfléchissez avant de faire reproduire votre animal. Si vous ne possédez pas l'énorme quantité d'argent et de temps qui sont nécessaires pour devenir un bon éleveur de chiens (une personne dont l'objectif est d'améliorer la race et de voir à ce que tous les chiens, même ceux qui ne sont pas des animaux de race, soient confiés à des foyers accueillants), alors faites stériliser votre animal le plus tôt possible. Votre chien sera en meilleure santé et plus facile à entretenir, et vous aurez rendu un fier service à tous les chiens ainsi qu'aux personnes qui les aiment.

Q Existe-t-il une pilule anticonceptionnelle pour les chiens ?

R   Jusqu'à présent, il n'existe pour les chiens aucun contraceptif, oral ou injectable, sûr et approuvé même si des recherches approfondies ont été menées en vue de mettre au point un tel produit. En attendant, la meilleure méthode de contraception, tant pour les mâles que pour les femelles, est une méthode dont les effets sont permanents : la stérilisation (ou castration) chirurgicale, qui consiste, chez la chienne, à retirer les ovaires et l'utérus, et, chez le chien, à retirer les testicules.

Q À partir de quel âge mon chien peut-il être stérilisé et quand a-t-il passé l'âge de subir cette intervention ?

R   Depuis le début des années quatre-vingt-dix, les chercheurs se demandent s'il est sécuritaire ou non de procéder à la stérilisation chirurgicale de chiots qui n'ont pas encore atteint la puberté. Or de nombreuses études fort bien menées démontrent que les chiots peuvent être anesthésiés et stérilisés en toute sécurité dès l'âge de sept semaines, et les refuges pour animaux de l'ensemble du pays ont déjà pratiqué cette intervention sur des millions de chiots. Des études scientifiques récentes sont venues confirmer que la stérilisation n'entraîne aucun effet néfaste à long terme lorsqu'elle est effectuée avant la puberté. Les vétérinaires en pratique privée ont mis du temps à assimiler cette nouvelle information, même si nombre d'entre eux pratiquent aujourd'hui ce type d'intervention un peu plus tôt que les six à neuf mois qui ont été pendant longtemps la norme. Si les chiots peuvent sembler trop fragiles pour subir une intervention chirurgicale, la réalité est tout autre; en effet, ils acceptent habituellement plus facilement la présence d'étrangers et tolèrent mieux leur séjour à l'hôpital canin. De plus, étant donné que leur système reproducteur est à peine développé, l'ablation de celui-ci est beaucoup moins complexe, ce qui, par comparaison avec les chiens plus âgés, rend l'inconfort postopératoire beaucoup moindre et raccourcit sensiblement le temps de guérison. En faisant stériliser une femelle avant la puberté, on l'empêche d'avoir ses premières chaleurs, ce qui contribue à la prémunir contre les tumeurs mammaires.

Votre animal vieillissant peut être stérilisé s'il est suffisamment en santé pour supporter l'anesthésie. Votre vétérinaire déterminera si c'est le cas en examinant votre chien et en procédant à des analyses de sang et d'urine afin d'évaluer son état de santé général. Il évaluera peut-être aussi l'état du cœur au moyen d'un examen aux rayons X, d'un électrocardiogramme (ECG) ou encore d'une échocardiographie (examen aux ultrasons). Si l'anesthésie apparaît possible, la stérilisation est une bonne chose à tout âge, car elle contribue à prévenir bien des maladies de l'appareil reproducteur dont les chiens âgés intacts sont plus susceptibles de souffrir.

Q **Ma chienne peut-elle être atteinte d'un cancer des glandes mammaires?**

R Oui, le cancer des glandes mammaires est la forme la plus courante de cancer chez les chiennes. Celles-ci peuvent avoir des tumeurs malignes (cancéreuses) ou de tumeurs bénignes (non cancéreuses) aux glandes mammaires, mais environ la moitié de toutes les tumeurs mammaires sont de type malin. Lorsqu'on les compare aux femelles non stérilisées, les femelles stérilisées avant leurs premières chaleurs présentent un risque de 0,5 % d'être atteintes d'un cancer des glandes mammaires, celles qui sont stérilisées après leurs premières chaleurs mais avant leurs deuxièmes présentent un risque de 8 % et celles qui sont stérilisées après leurs deuxièmes chaleurs présentent un risque de 26 %. Par conséquent, la stérilisation protège l'animal contre les tumeurs mammaires, et quand l'intervention est précoce (avant les premières chaleurs), le risque de cancer est pratiquement éliminé. Cela va totalement à l'encontre de la croyance populaire selon laquelle les femelles devraient avoir leurs premières chaleurs (et même une portée de chiots!) avant d'être stérilisées. Tout comme chez les humains, les chiens mâles peuvent être atteints d'un cancer des glandes mammaires, mais cela est extrêmement rare.

Le premier signe de cancer des glandes mammaires est la présence d'une masse dans la glande ; dans la moitié des cas, on trouve plusieurs de ces masses. La méthode de diagnostic la plus sûre consiste à enlever la masse, qui est ensuite analysée par un histopathologiste (spécialiste des cellules) afin de déterminer s'il y a cancer ou non. Si vous découvrez une masse dans l'une des glandes mammaires de votre chienne, évitez d'être attentiste. Faites retirer et analyser la masse le plus tôt possible.

Le traitement du cancer des glandes mammaires chez la chienne consiste en une ablation de la masse et des tissus environnants. La plupart des experts recommandent une mastectomie radicale, qui consiste à enlever les huit glandes mammaires. On a parfois recours à la chimiothérapie et à la radiothérapie pour contenir et éliminer les cellules cancéreuses qui ne peuvent être enlevées chirurgicalement.

En l'absence de traitement ou si les cellules cancéreuses ne sont pas toutes éliminées par le traitement, les tumeurs réapparaissent et le cancer risque de s'étendre aux poumons, à l'organisme tout entier par les glandes lymphatiques ainsi que dans le système nerveux. Les tumeurs qui se trouvent dans les glandes mammaires deviennent habituellement volumineuses, lourdes et ulcérées, et provoquent un grand inconfort. Malheureusement, la plupart des chiennes atteintes d'un cancer des glandes mammaires ne vivent que quelques mois ou quelques années, et ce même si elles bénéficient d'un traitement.

Q Qu'est-ce que le pyomètre et comment le traite-t-on ?

R Le pyomètre est une infection bactérienne de l'utérus qui est susceptible de toucher les femelles non stérilisées. Il affecte habituellement les chiennes d'âge moyen (entre huit et dix ans). Les signes de pyomètre deviennent apparents dans les quatre à huit semaines suivant les chaleurs de la chienne (les symptômes apparaissent parfois immédiatement après les chaleurs ou aussi tard que douze à quatorze semaines après), parce que les changements hormonaux qui se produisent pendant cette période ont pour effet d'emplir l'utérus de fluides qui sont aisément contaminés par les bactéries. Cette maladie peut être très grave, voire mortelle.

Les symptômes sont notamment les écoulements vulvaires (sang, mucus ou pus), la léthargie ou la dépression, la perte d'appétit, la tendance à boire et à uriner plus fréquemment et les vomissements. La chienne qui présente ce type de symptômes devrait être traitée d'urgence. Certaines chiennes sont atteintes d'un pyomètre à col fermé et n'ont alors pas de pertes vulvaires. Le pyomètre peut progresser très rapidement, et la chienne risque de devenir déshydratée et de tomber en état de choc ou dans le coma, puis de mourir.

Votre vétérinaire peut établir un diagnostic de pyomètre à partir des symptômes que présente votre chienne et d'un examen physique de cette dernière. Il pourra aussi lui faire passer des radiographies ou une échographie pour confirmer le diagnostic ; une analyse sanguine et un profil sérique pourront également être effectués pour déterminer la gravité de l'atteinte.

Le traitement du pyomètre consiste à pratiquer l'ablation chirurgicale des ovaires et de l'utérus (stérilisation). Cette intervention comporte plus de risques quand elle est réalisée sur une chienne malade que sur un jeune animal en pleine santé, mais les traitements non chirurgicaux sont difficiles à administrer, onéreux et moins efficaces. Le risque de pyomètre est l'une des meilleures raisons de faire stériliser votre chienne lorsqu'elle est jeune et en santé.

Q Dois-je faire castrer mon chien même si je le garde en tout temps dans une cour clôturée ?

R   Il existe plusieurs bonnes raisons de faire castrer votre chien. La castration élimine le risque de cancer des testicules et réduit les risques de problèmes de prostate à la vieillesse. Cette opération a également des avantages sur le plan comportemental. En effet, des études ont montré que les chiens castrés sont six fois moins susceptibles de mordre une personne que ceux qui n'ont pas été stérilisés. Les chiens castrés ont également moins tendance à faire preuve d'agressivité envers les autres chiens et à avoir des comportements que bien des propriétaires de chiens trouvent difficiles à supporter, comme le marquage urinaire des objets se trouvant dans la maison et la tendance à chevaucher (monter) des gens ou d'autres animaux. Les chiens non castrés sont capables de détecter une chienne en chaleur à une distance pouvant aller jusqu'à huit kilomètres. Les propriétaires de ces chiens racontent que leur animal est plus difficile à vivre parce qu'il essaie fréquemment de s'enfuir de l'endroit où il est confiné (en creusant un trou dans la cour, par exemple) pour pouvoir vagabonder en toute liberté. Ces propriétaires ne sont pas toujours conscients que leur chien est tout simplement guidé par ses instincts lorsqu'il part à la recherche d'une femelle en chaleur dont il a détecté la présence dans le voisinage. Certains chiens peuvent errer pendant des jours à la recherche d'une femelle avec qui s'accoupler et s'éloigner beaucoup de leur quartier.

Les chiens mâles ont tendance à devenir moins actifs et sont plus susceptibles de prendre du poids après avoir été castrés, mais ces problèmes peuvent être surmontés grâce à un régime alimentaire adéquat et à un bon programme d'exercice. Assurez-vous de bien surveiller le poids de votre chien et consultez votre vétérinaire sur les changements à apporter à l'alimentation de votre compagnon. Les avantages sur le plan de la santé et du comportement associés à la castration sont beaucoup plus grands que les inconvénients.

Q Pourquoi mon chien n'a-t-il qu'un seul testicule ?

R À mesure que le chien mâle se développe dans le ventre de sa mère, ses testicules migrent progressivement vers le bas ; partant de la région lombaire, ils descendent peu à peu pour atteindre leur position normale, à l'intérieur du scrotum. Habituellement, les testicules descendent dans les bourses au moment de la naissance ou juste après. Lorsque l'un des testicules ou les deux ne descendent pas jusqu'au scrotum, comme c'est le cas chez environ 12 chiens sur 1000, on dit que le chiot est cryptorchide. Si la cryptorchidie peut survenir chez toutes les races, on la rencontre plus souvent chez les chiens de race naine. La rétention d'un seul testicule est trois fois plus fréquente que la rétention des deux, et il est extrêmement rare qu'un testicule non descendu poursuive jusqu'au bout son trajet normal de migration après que le chien a atteint l'âge de quatre mois.

Ce trouble n'est pas douloureux, mais il reste que les testicules non descendus sont plus susceptibles de devenir cancéreux. De plus, ils sécrètent suffisamment de testostérone pour causer chez les chiens des comportements désagréables, comme l'envie de fuguer, le marquage urinaire, les accouplements intempestifs et les élans d'agressivité, que la castration est censée diminuer. Les chiots peuvent être castrés sans aucun problème dès l'âge de huit semaines ; si le chiot est cryptorchide, le testicule non descendu pourra être retiré de sa position anormale par la même occasion. Toutefois, le vétérinaire choisira parfois d'attendre que le chien atteigne l'âge de quatre mois avant de procéder à la castration, car il est possible que le testicule ait alors complété sa descente vers le scrotum. Le chien pourra alors subir une opération de castration normale.

Q Quand ma chienne aura-t-elle ses premières chaleurs (cycle œstral) ?

R Même si la plupart des gens croient que le cycle reproducteur des chiennes ne dure que quelques jours — les jours pendant lesquels elles sont de façon plus évidente prêtes à l'accouplement —, le cycle entier, connu sous le nom de cycle œstral, dure entre quatre et douze mois et se produit de une à trois fois par année. En général, les chiennes commencent leur premier cycle plusieurs mois après avoir atteint leur taille et leur poids adultes ; les chiennes de petite taille, qui atteignent plus rapidement la maturité, ont souvent leurs premières chaleurs entre l'âge de six et dix mois, alors que les chiennes de grande taille, dont la croissance est plus lente, ont leurs premières chaleurs entre dix-huit et vingt-quatre mois ou même plus tard. Il existe toutefois de grandes différences entre les races et entre les individus relativement à bien des aspects du cycle œstral. Les chiennes peuvent avoir leurs chaleurs, s'accoupler et mettre bas à tout moment de l'année, mais les naissances semblent plus nombreuses en mai et en octobre, ce qui indique qu'un plus grand nombre de femelles commencent leur cycle au début du printemps et de l'automne.

Le cycle œstral canin comporte quatre phases: le pro-œstrus, l'œstrus, le diœstrus et l'anœstrus. Le pro-œstrus commence lorsque la chienne présente un gonflement vulvaire et des pertes de sang. À ce stade, elle n'est pas encore prête à accepter la saillie, même si elle dégage une odeur qui peut attirer des mâles (étalons) se trouvant à une distance aussi grande que huit kilomètres. Le pro-œstrus dure habituellement de six à onze jours, mais il peut être aussi bref qu'un ou deux jours ou se prolonger jusqu'à vingt-cinq jours.

L'œstrus commence lorsque la femelle accepte le mâle; il s'agit de la période d'ovulation, pendant laquelle la chienne est féconde. Durant l'œstrus, les écoulements vulvaires se poursuivent, mais deviennent moins sanguinolents et plus clairs, et la région vulvaire est moins enflée. La plupart des femelles en chaleur s'accroupissent et urinent fréquemment et recherchent activement le mâle. L'œstrus dure habituellement de neuf à treize jours, mais il peut aussi durer entre quatre et vingt-quatre jours.

L'œstrus prend fin quand la femelle n'accepte plus la saillie, moment où s'amorce la partie du cycle nommée diœstrus. À cette étape, que la femelle soit fécondée ou non, ses ovaires produisent de la progestérone et elle peut présenter des signes de pseudo-gravidité (voir la section suivante, « Comment puis-je déterminer si ma chienne fait une grossesse nerveuse ? »).

L'anœstrus est l'étape à laquelle le système reproducteur commence à se préparer au prochain pro-œstrus, qui marque le début d'un nouveau cycle. Variable, la durée de l'anœstrus est de quatre mois et demi ou plus.

Le seul aspect prévisible du cycle reproductif de la femelle est son imprévisibilité, ce qui explique que les fécondations accidentelles soient si fréquentes. Si vous prévoyez faire accoupler votre chienne, essayez d'en apprendre le plus possible sur les subtilités de son cycle et soyez à l'affût des signes pouvant indiquer qu'elle est prête à accepter l'accouplement. Si vous ne souhaitez pas faire accoupler votre femelle, faites-la stériliser. Cela vaudra mieux pour sa santé et éliminera tout risque de gestation non désirée.

Q Comment puis-je déterminer si ma chienne fait une grossesse nerveuse ?

R La grossesse nerveuse, également appelée pseudocyesis ou pseudo-gravidité, survient parfois chez les femelles parce que leurs ovaires sécrètent de la progestérone pendant soixante à quatre-vingts jours après l'ovulation, qu'elles aient été fécondées ou non. Chez certaines femelles non fécondées, cela entraînera les mêmes changements hormonaux que chez les femelles fécondées et provoquera chez elles les comportements et les changements physiques associés à la gestation. Les chiennes qui font une grossesse nerveuse paraissent agitées, montent la garde à un endroit précis de la maison ou fabriquent un nid à cet endroit, en plus d'avoir l'abdomen distendu. Elles présentent parfois un gonflement des mamelles et peuvent même avoir de légères montées de lait (lactation). Certaines chiennes se mettront à materner un jouet en peluche ou un autre objet et le transporteront dans leur gueule comme s'il s'agissait d'un chiot.

Q Comment puis-je savoir si ma chienne est gestante ?

R Chez la chienne, la durée de la gestation peut varier de cinquante-huit à soixante-huit jours. Pour poser un diagnostic de gestation, votre vétérinaire peut faire une analyse sanguine pour mesurer la quantité de l'hormone relaxine présente dans le sang de l'animal. La présence d'une quantité élevée de relaxine indique que votre chienne est bel et bien gestante. En général, le test peut détecter une grossesse à partir du vingt-deuxième jour de gestation. Dans bien des cas, il est possible de sentir les fœtus au cours des premières semaines de gestation, alors qu'ils ne sont encore que de petites boules dans l'utérus, et au cours des dernières semaines, alors qu'on peut sentir leur tête et leurs membres. De nombreux vétérinaires possèdent dans leur bureau un appareil à ultrasons identique à celui qu'utilisent les obstétriciens pour procéder à une échographie. Chez les chiennes qui sont enceintes de seize à vingt jours, les sacs utérins individuels, remplis de liquide, peuvent être perçus au moyen d'une échographie. Après le vingt-cinquième jour de gestation, on peut voir battre le cœur des chiots. Votre vétérinaire pourra aussi avoir recours aux rayons X pour diagnostiquer une gestation (entre vingt et un et quarante et un jours) ; cette technique permet également de déterminer le nombre de chiots de la portée (à partir de quarante-deux jours) et de prévoir les naissances difficiles.

Parfois, les femelles gestantes perdent l'appétit et souffrent d'une anorexie prononcée pendant quelques jours au cours de la troisième ou de la quatrième semaine de gestation. Le développement des mamelles indique aussi qu'il y a grossesse, mais il ne s'agit pas d'un signe fiable.

Q À quel moment peut-on sevrer des chiots et les confier à leur nouveau foyer d'adoption ?

R Les chiots commencent à faire leurs premières dents à l'âge de trois semaines environ, âge où leur mère amorce le processus de sevrage en passant de plus en plus de temps loin de sa portée. Il importe de laisser les chiots avec leur mère et le reste de la portée jusqu'à la fin de la sixième semaine au moins. En effet, une séparation trop rapide pourrait rendre le chiot craintif ou agressif envers les autres chiens. La mère finit habituellement le sevrage quand les petits atteignent l'âge de six semaines environ ; à ce stade, ils sont capables de manger de la nourriture pour chiots. Laissez les chiots avec leurs petits frères et sœurs jusqu'à l'âge de huit semaines. De cette façon, vous leur donnerez le temps de se socialiser et la possibilité de s'acclimater au stress causé par le sevrage sans avoir en plus à être séparés des autres chiots. Pour toutes ces raisons, la vente de chiots âgés de moins de huit semaines est interdite à bien des endroits.

Chapitre 7

....

Les effets de la vieillesse

Les chiens vieillissants sont de merveilleux compagnons, et nous devons leur procurer toutes les occasions de jouir pleinement de leur âge d'or. Certains des changements qui surviennent à mesure que les chiens prennent de l'âge sont troublants tant pour l'animal que pour son maître. Voici quelques renseignements sur les changements auxquels vous devriez vous attendre et sur les façons d'aider votre chien à y faire face.

Q   Pourquoi mon chien a-t-il les yeux troubles ?

R   Plusieurs raisons peuvent expliquer pourquoi les yeux de votre chien deviennent troubles. La cataracte est une opacification du cristallin que l'on croit causée par une agglutination de molécules de protéines. Elle peut survenir à n'importe quel âge, et certains animaux en sont affligés à la naissance. La cataracte peut être causée par des déficiences nutritionnelles, l'ingestion de poisons, une inflammation de l'œil et un taux de glucose sanguin élevé (un effet secondaire du diabète).

La sclérose nucléaire est une affection qui se caractérise par le durcissement progressif du cristallin, lequel devient plus compact avec l'âge — l'œil prend alors une apparence trouble et bleutée. La sclérose nucléaire ne nuit habituellement pas à la capacité de vision du chien, jusqu'à ce qu'elle devienne très prononcée aux derniers stades de la vie de l'animal. Votre vétérinaire pourra examiner les yeux de votre chien et vous indiquer s'il y a lieu de vous inquiéter.

Q Pourquoi mon chien a-t-il si mauvaise haleine ?

R L'halitose (haleine fétide) chez les chiens âgés peut être attribuable à un certain nombre de facteurs. L'insuffisance rénale entraîne parfois une accumulation d'ammoniaque dans le sang du chien, ce qui donne une odeur particulièrement prononcée à son haleine. Les tumeurs buccales peuvent aussi dégénérer en gangrène et dégager une odeur fétide. Habituellement, la mauvaise haleine est causée par les maladies des dents et des gencives, qui constituent malheureusement un problème de santé très répandu chez les chiens âgés (voir le chapitre 4, « Vaccins et soins courants », la section « Comment prendre soin de la dentition de mon chien ? »).

La première chose à faire en cas de maladie dentaire chez un chien âgé est d'emmener l'animal passer un examen chez le vétérinaire. Celui-ci évaluera la gravité de la maladie et déterminera si une ou plusieurs dents doivent être extraites. En cas de maladie dentaire grave, le vétérinaire procédera à l'anesthésie du chien afin de lui nettoyer les dents à fond, tant au-dessous qu'au-dessus du rebord gingival, au moyen d'un détartreur à ultrasons semblable à celui qu'utilise votre dentiste. Pendant que votre chien est endormi (voir plus loin, la section « Mon chien âgé peut-il subir une anesthésie sans danger ? »), le vétérinaire en profitera pour procéder à un examen encore plus approfondi ; il vérifiera la présence de dents cassées ou cariées qui nécessitent une extraction. Le vétérinaire polira ensuite les dents du chien et les traitera au fluorure. Des antibiotiques ou d'autres médicaments sont parfois prescrits avant ou après l'intervention pour éviter la propagation de bactéries dans l'organisme et pour accélérer la guérison. Une fois les dents de votre chien nettoyées, demandez à votre vétérinaire de vous suggérer un programme de soins dentaires à donner à la maison, qui vous permettra de maintenir les dents de votre animal propres et de réduire la nécessité des nettoyages chez le vétérinaire.

Q Mon chien souffre d'arthrose. Comment puis-je l'aider ?

R L'arthrose, qui est une maladie dégénérative des articulations, est une affection fréquente chez les chiens âgés. Causée par la détérioration des couches de cartilage qui recouvrent les surfaces osseuses des articulations, elle est parfois attribuable aux blessures articulaires subies par l'animal au cours de son existence. Les premiers signes d'arthrose sont notamment une boiterie intermittente, une démarche rigide ainsi qu'une difficulté à monter ou à descendre les escaliers ou à se déplacer sur un plancher glissant. De nombreux chiens arthrosiques éprouvent des raideurs articulaires après une longue sieste ou lorsque la température est froide.

Il existe plusieurs solutions modernes pour soulager la douleur, mais la plupart des traitements n'ont qu'un caractère palliatif. Le vétérinaire peut réduire la douleur et maintenir les articulations de l'animal en meilleure santé possible, mais il est incapable de réparer les dommages déjà causés par le temps et par la vie. Pour traiter l'arthrose canine, je recommande une approche en trois volets : l'exercice modéré, le maintien d'un poids sain et l'administration de médicaments ou de suppléments alimentaires.

L'exercice modéré quotidien contribue à maintenir la force et la souplesse musculaires de votre chien et à réduire les douleurs engendrées par l'arthrose. La nage, si votre chien aime cette activité, est une excellente forme d'exercice, parce que l'eau soutient le corps de l'animal et contribue à réduire la pression qui s'exerce sur ses articulations. L'exercice sera plus avantageux si vous en faites faire à votre chien avant qu'il montre des signes d'arthrose ou peu de temps après qu'il a commencé à en montrer. Si l'animal présente des symptômes d'arthrose depuis quelque temps, mais qu'il n'a jamais été très actif, consultez votre vétérinaire avant d'entreprendre un programme d'exercice.

Le maintien du poids de l'animal dans la fourchette normale est un autre aspect des soins à apporter à un chien âgé atteint d'arthrose. En effet, l'obésité est l'un des problèmes de santé les plus répandus chez les chiens, et des kilos en trop sont souvent synonymes de douleurs chez les chiens arthrosiques. Un programme d'exercice régulier et modéré ainsi qu'un régime alimentaire riche en fibres et pauvre en calories peuvent aider les chiens obèses et arthrosiques à perdre du poids, et donc à se sentir mieux. Même si votre chien adore les petites gâteries alimentaires, celles-ci ne feront qu'accentuer sa douleur si elles contribuent à le rendre obèse.

Les suppléments alimentaires contenant de la glucosamine et du sulfate de chondroïtine sont avantageux pour bien des chiens. En effet, ces suppléments procurent aux chiens les matériaux de base dont ils ont besoin pour maintenir l'intégrité de leurs cartilages. Administrez ces produits selon les directives de votre vétérinaire ; souvent, il s'agit d'une seule dose par jour donnée par voie orale. Vous pouvez aussi avoir recours aux glycosaminoglycanes (GAG). Les GAG sont reconnus pour leur capacité de prévention de la détérioration des cartilages et d'assainissement du liquide qui lubrifie les articulations. Votre vétérinaire pourra administrer une forme injectable de GAG (Adequan Canine) à de trois à cinq jours d'intervalle et à huit reprises, puis au besoin. Peu d'effets secondaires ont été associés à l'un ou à l'autre de ces traitements, et bien des chiens en ont grandement bénéficié.

Les médicaments anti-inflammatoires non stéroïdiens (AINS) peuvent eux aussi procurer un soulagement aux chiens arthrosiques. Parmi les choix possibles, on compte l'aspirine, l'étodolac (EtoGesic) et le carprofen (Rimadyl). Tous ces médicaments peuvent entraîner des effets secondaires, notamment des ulcères gastro-intestinaux et des troubles du foie, mais ils apportent aussi un énorme soulagement à bien des chiens. Toutefois, vous ne devriez jamais donner à votre chien un médicament, ne serait-ce que de l'aspirine, sans avoir préalablement consulté votre vétérinaire. Il vous faut également surveiller attentivement votre chien afin de déceler tout signe de réaction indésirable au médicament.

Votre vétérinaire fera des prises de sang sur une base régulière pour s'assurer que les médicaments ne causent aucun tort à l'animal. Donnez à votre compagnon la dose efficace la plus faible. Pour que l'AINS soit plus efficace à faible dose, administrez si possible le médicament avant que la douleur se manifeste.

Q Qu'est-ce que le syndrome vestibulaire du chien âgé ?

R Le syndrome vestibulaire est une affection du nerf vestibulo-cochléaire, qui intervient dans la régulation de l'ouïe et de l'équilibre. Lorsque le nerf vestibulo-cochléaire est endommagé en raison d'une inflammation, d'une infection, d'une tumeur ou d'un autre problème, le chien devient incapable de se tenir debout ou de marcher droit. Il se déplace plutôt en petits cercles ou se penche d'un côté — toujours le même — et tombe par terre. Cette affection est assez courante chez les chiens âgés (d'où son nom de syndrome vestibulaire du chien âgé), mais sa cause est rarement diagnostiquée. Même si les symptômes finissent tous par disparaître au bout de quelques jours ou de quelques semaines, il y a souvent résurgence. Étant donné que les chiens atteints du syndrome vestibulaire éprouvent souvent un grand malaise (imaginez comment vous vous sentiriez si vous aviez le vertige pendant des jours), l'euthanasie est une solution souvent envisagée. Bien que des traitements spécifiques ne puissent être administrés que si un diagnostic est posé (qui peut nécessiter un examen du cerveau par tomodensitométrie [TDM]), il est possible de soulager quelque peu les symptômes au moyen de médicaments anti-inflammatoires prescrits par le vétérinaire. Votre vétérinaire pourra aussi offrir des traitements d'appoint, notamment des médicaments contre la nausée ou une thérapie liqui-dienne afin de prévenir la déshydratation de l'animal.

Q   Mon chien peut-il être atteint de la maladie d'Alzheimer ?

R   Il n'est pas rare de voir des chiens âgés errer sans but en ayant l'air désorientés ou confus, même dans leur propre foyer ; il leur arrive aussi parfois de ne pas reconnaître des gens qui leur sont pourtant familiers, de perdre leurs habitudes de propreté ou d'adopter des habitudes de sommeil anormales. Traditionnellement, ces manies de vieux chiens ont toujours été considérées comme des changements normaux attribuables à l'âge, mais des recherches plus récentes en médecine vétérinaire ont révélé que nombre de ces comportements sont causés par des changements à l'intérieur du cerveau qui sont semblables, sans être identiques, à ceux qui surviennent chez les per-sonnes atteintes de la maladie d'Alzheimer. Lorsque certaines com-binaisons de ces comportements ne peuvent être expliquées par aucun autre diagnostic médical (comme une tumeur au cerveau), on les regroupe désormais sous l'appellation de dysfonctionnements cognitifs du chien (DCC).

Il existe plus d'un type de traitement des DCC. La sélégiline, également appelée L-deprenyl, a été l'un des deux premiers médi-caments à être approuvés aux États-Unis par la FDA pour traiter les problèmes comportementaux chez les animaux. Chez de nom-breux chiens, la sélégiline élimine les symptômes de DCC. Un régime alimentaire antioxydant commercial, qui, selon les cher-cheurs, contribuerait à réduire les changements comportementaux attribuables à l'âge, peut également être prescrit par le vétérinaire.

Évitez de fermer les yeux devant les signes de vieillissement de votre chien. Que ces changements soient causés par des DCC ou par un autre problème soignable comme une infection urinaire, il importe que vous collaboriez avec votre vétérinaire pour déterminer la source des symptômes. Vous garantirez ainsi à votre chien une existence plus heureuse et souvent plus longue.

Q Mon chien âgé peut-il subir une anesthésie sans danger ?

R Même bien soignés et en bonne santé, les chiens doivent subir une anesthésie générale à plusieurs occasions au cours de leur existence, pour la stérilisation, le nettoyage des dents, le traitement des blessures ou d'autres interventions. Plus un chien prend de l'âge et plus il est susceptible de nécessiter une anesthésie, que ce soit pour un nettoyage dentaire ou pour la biopsie d'une masse suspecte. La crainte de l'anesthésie ne devrait plus empêcher les gens d'autoriser des interventions recommandées par leur vétérinaire dans le but de soigner leur vieux compagnon. En effet, les progrès de la médecine vétérinaire moderne ont fourni aux praticiens de nombreux instruments efficaces pour procéder à l'anesthésie des chiens plus âgés, notamment des produits injectables et gazeux beaucoup plus sûrs. Parmi les progrès les plus intéressants réalisés dans le domaine de l'anesthésiologie, mentionnons l'équipement de monitorage et les produits permettant de réduire la douleur, qui sont de plus en plus répandus dans les hôpitaux vétérinaires.

Vous devez comprendre que vous avez un rôle important à jouer dans le processus visant à déterminer si votre chien peut subir ou non une anesthésie sans danger. N'hésitez pas à poser des questions précises sur la façon dont votre chien sera anesthésié et surveillé au cours de l'intervention et pendant la période de récupération. Renseignez-vous sur l'anesthésique qui sera employé et sur son mode d'administration. Demandez à visiter la salle d'opération et à voir l'appareil d'anesthésie, les appareils de monitorage et la salle où votre chien reviendra à lui après l'opération.

Acceptez toutes les procédures préanesthésiques recommandées par votre vétérinaire, comme les analyses de sang et d'urine préopératoires visant à évaluer l'état de santé global de l'animal, les électrocardiogrammes ou les échocardiogrammes visant à évaluer l'état du cœur et les rayons X visant à évaluer l'état des poumons et du cœur. Il est possible que ces tests permettent de détecter des anomalies, mais celles-ci n'empêcheront pas nécessairement votre chien de subir une anesthésie. Les résultats des tests aideront plutôt votre vétérinaire à choisir l'anesthésique le plus approprié et les mesures d'appoint nécessaires, comme l'administration intraveineuse de liquides en cours d'anesthésie. Suivez avec soin les directives pré et postopératoires, comme la nécessité de faire jeûner votre chien avant l'anesthésie ou de limiter ses activités physiques après l'intervention.

Q Quelle est la cause de l'insuffisance rénale chronique de mon chien et comment peut-on traiter ce problème?

R Tant les jeunes chiens que les vieux chiens sont susceptibles de souffrir d'insuffisance rénale chronique, mais le risque s'accroît avec l'âge. Avec le temps, les reins se mettent à perdre de leur efficacité et à rétrécir. Ils compensent la diminution de leur capacité d'élimination des déchets jusqu'à ce qu'ils ne soient pratiquement plus en mesure de fonctionner, puis ils cessent carrément de jouer leur rôle. La transplantation rénale est une option possible pour les chats, et on a déjà songé à la pratiquer sur les chiens, mais les coûts de l'intervention et les complications liées au rejet de l'organe, ainsi que les problèmes éthiques que posent la recherche de chiens donneurs et la prolongation de l'existence des chiens âgés, rendent cette possibilité peu envisageable pour le moment.

Les symptômes les plus courants d'insuffisance rénale sont l'augmentation de la fréquence d'évacuation urinaire et une soif accrue, que l'on nomme en termes médicaux polyurie et polydipsie (PU/PD). Lorsque l'état du chien s'aggrave jusqu'à ce que les reins ne soient plus en mesure de filtrer l'ammoniaque (un produit de la décomposition des protéines au cours de la digestion) acheminée par le sang, l'animal se met à souffrir d'urémie, syndrome toxique caractérisé par des nausées et des vomissements. Le vétérinaire procédera alors à une analyse sanguine pour évaluer avec précision la gravité de l'insuffisance rénale. Les indicateurs les plus courants sont les taux d'azote uréique sanguin (ou BUN, de l'anglais blood urea nitrogen) et de créatinine. Il s'agit de deux produits de la digestion qui s'accumulent dans le sang lorsque les reins fonctionnent mal. Ainsi, le degré d'augmentation des taux de BUN et de créatinine est en relation avec le degré d'insuffisance rénale.

Si les dommages causés au rein par la maladie sont irréversibles, il existe tout de même des mesures d'appoint qui peuvent permettre à un chien atteint d'insuffisance rénale de vivre confortablement, parfois pendant des années après le diagnostic. Comme les chiens souffrant d'insuffisance rénale sont souvent déshydratés au moment du diagnostic, on leur administre souvent des liquides par voie intraveineuse pour combattre les effets de la déshydratation et réduire la quantité de produits dérivés de l'ammoniaque présents dans leur sang. Des médicaments contre la nausée peuvent réduire les vomissements et les malaises causés par l'urémie. De nombreux chiens atteints d'insuffisance rénale sont anémiques (réduction du nombre de globules rouges dans le sang) parce qu'ils ne sont plus en mesure de produire en quantité suffisante l'hormone érythropoïétine, qui est sécrétée par les reins et assure la régulation de la production des globules rouges dans la moelle osseuse. Certains chiens souffrent d'une anémie si prononcée qu'ils doivent subir une transfusion sanguine ou prendre des médicaments stimulant la production des globules rouges.

Étant donné que le sang qui circule à l'intérieur de l'organisme du chien doit obligatoirement traverser les reins, le rétrécissement des conduits caractéristique des reins endommagés peut entraîner une augmentation de la pression artérielle. Cet aspect de l'insuffisance rénale n'a pas encore été étudié à fond parce qu'il est difficile de mesurer la pression artérielle chez les chiens. Lorsque des appareils plus efficaces de contrôle de la pression artérielle existeront, il sera possible d'effectuer un meilleur dépistage et d'administrer des traitements plus efficaces.

Une fois l'état du chien stabilisé, le vétérinaire recommandera une diète pauvre en protéines afin d'empêcher la récurrence des symptômes. Si votre chien est atteint d'insuffisance rénale chronique, surveillez-le de près et travaillez avec votre vétérinaire afin d'offrir à votre animal la meilleure qualité de vie possible malgré la présence de cette maladie aux effets irréversibles.

Q **Mon chien âgé semble perdre peu à peu le sens de l'ouïe. Est-ce normal ?**

R Le tissu osseux qui tapisse le conduit auditif de l'oreille durcit et devient plus friable avec l'âge, de sorte que les oreilles du chien vibrent moins au moment de la captation des sons, et l'ouïe perd alors de son acuité. Dans la plupart des cas, ce changement est si graduel qu'on le remarque à peine, jusqu'à ce que le chien soit devenu complètement sourd.

Il n'y a pas grand-chose à faire pour arrêter la perte d'audition chez votre chien, mais il existe de nombreuses façons de l'aider à s'acclimater au changement. Pour commencer, je vous suggère de consulter le site <www.deafdogs.org>, qui regorge de renseignements utiles sur les tests auditifs que vous pouvez faire passer à votre chien et propose des méthodes de dressage et de nouvelles façons de communiquer avec lui. Il vous faut assurer sa sécurité en le surveillant constamment, car un chien sourd est incapable d'entendre s'approcher les étrangers humains et canins, les voitures et les autres menaces potentielles. Gardez-le en laisse ou à l'intérieur d'un lieu clôturé et songez à attacher une clochette à son collier pour être en mesure de savoir où il se trouve à tout moment. Prenez encore plus de précautions lorsqu'il y a des enfants alentour ; votre chien sourd est susceptible de mordre s'il est surpris par un adulte ou un enfant qui s'approche furtivement de lui pendant son sommeil. En fait, chez les chiens âgés, le comportement agressif est souvent le premier signe de surdité. De nombreux propriétaires d'un chien sourd ont recours au langage des signes pour apprendre à leur compagnon les commandements de base, tels que assis, reste et viens. Un chien âgé qui a déjà appris et compris des commandements verbaux sera capable d'apprendre à répondre à des gestes plutôt qu'à des mots. Vous pouvez aussi enseigner à votre jeune chien des commandes gestuelles dans le cadre de son dressage afin de le préparer à une perte d'audition éventuelle.

Q Quel est l'âge de mon chien à l'échelle humaine ?

R   Il est toujours amusant et utile de comparer l'âge de notre toutou avec le nôtre, et la règle générale veut que chaque année canine corresponde à sept années humaines. Toutefois, les chiens n'ont pas tous la même taille (comparez un chihuahua à un terre-neuve, par exemple), et leur longévité varie en conséquence. En général, les races miniatures et naines vivent longtemps, alors que les races géantes ont une existence plus brève. Souvent, un caniche miniature ne montrera pas de signes de vieillissement avant d'avoir passé le cap des dix ans, alors qu'un saint-bernard est considéré comme vieux dès qu'il atteint l'âge de cinq ans. Le Dr Fred L. Metzger, un vétérinaire de Pennsylvanie, a construit un tableau qui aide à comprendre comment l'âge des chiens se compare à celui des humains.

TABLEAU COMPARATIF DES ÂGES DE METZGER

Poids du chien adulte en kilogrammes

Âges	0 - 9	10 - 22	23 - 40	41 et plus
5	36	37	40	42
6	40	42	45	49
7	44	47	50	56
8	48	51	55	64
9	52	56	61	71
10	56	60	66	78
11	60	65	72	86
12	64	69	77	93
13	68	74	82	101
14	72	78	88	108
15	76	83	93	115
16	80	87	99	123
17	84	92	104	
18	88	96	109	
19	92	101	115	
20	96	105	120	

Adapté de Fred L. Metzger, DMV, DABVP, Metzger Animal Hospital, State College, Pennsylvanie

Q Comment savoir s'il vaut mieux faire euthanasier mon chien ?

R Ce qui est probablement le plus difficile à propos de l'eutha-nasie, c'est de décider si elle est nécessaire. Malheureusement, il n'y a pas de réponses faciles, mais il existe certaines lignes directrices qui peuvent vous aider à prendre cette difficile décision au nom de votre chien malade ou âgé. Pensez au degré de confort physique de votre chien. Est-il capable de se déplacer, de faire de l'exercice normalement et de jouir de sa liberté ? Peut-il s'adonner aux acti-vités qu'il aime le plus, comme s'amuser avec des jouets ou s'ébattre avec ses congénères ?

Votre vétérinaire ne peut prendre cette décision à votre place, mais il est en mesure de vous aider à comprendre ce que l'ave-nir réserve à votre compagnon. Le problème dont souffre votre chien peut-il être traité ou guéri ? Ou votre animal est-il con-damné à mourir, quel que soit le traitement administré ? Éprouve-t-il de la douleur ou de la détresse ? S'il existe un trai-tement, est-il abordable ? La médecine vétérinaire moderne peut offrir des traitements efficaces contre de nombreuses maladies complexes, mais les soins sont souvent coûteux. Si le traite-ment est peu susceptible d'améliorer la qualité de vie de votre chien ou s'il ne peut être suivi jusqu'au bout en raison d'un man-que de ressources financières, il vaudrait peut-être mieux ne pas l'entreprendre. Vous seul pouvez déterminer vos limites en ce qui a trait aux efforts que vous êtes prêt à déployer et à vos res-sources financières, mais votre vétérinaire peut vous aider à prendre une décision éclairée en vous fournissant de l'information sur les possibilités qui s'offrent à vous.

Lorsque vous êtes certain que l'euthanasie est la meilleure solution pour votre chien, il vous reste bien des aspects à considérer. Comment direz-vous adieu à votre compagnon? Comment et quand l'euthanasie aura-t-elle lieu? Que ferez-vous de la dépouille de votre chien? Et de quelle façon allez-vous commémorer la relation toute spéciale que vous aviez avec votre fidèle compagnon?

S'il est important de dire adieu, il y a parfois peu de temps pour le faire. En effet, certains chiens sont atteints de maladies si graves ou si douloureuses que l'euthanasie ne peut attendre. Mais souvent, vous avez le temps. Vous pouvez prendre quelques minutes, quelques heures ou même quelques jours pour partager avec votre chien ses derniers moments; caressez-le, enveloppez-le dans sa couverture favorite et étendez-le sur le plancher de la cuisine, dans le carré ensoleillé où il a toujours adoré se réchauffer. Vous pouvez aussi donner aux amis ou aux membres de la famille qui ont noué une relation spéciale avec votre chien l'occasion de lui dire un dernier au revoir.

Dire au revoir est particulièrement important pour les enfants. Même s'il pourrait sembler plus approprié de leur éviter cette expérience douloureuse, ils auront à vivre un deuil de toute façon. Et le fait de se voir empêchés de dire adieu risque de prolonger de façon anormale leur période de deuil. Pour bien des enfants, la disparition d'un compagnon canin constitue une expérience cruciale et leur premier contact avec la réalité de la mort. En leur permettant de faire leurs derniers adieux au chien, vous les aiderez à mieux traverser l'épreuve émotionnelle qui accompagnera tous les décès auxquels ils feront face au cours de leur vie.

Pour bien des gens, dire au revoir signifie être présent au moment de l'euthanasie. Même si certaines personnes choisissent de s'en abstenir, la plupart sont d'avis que s'ils accompagnent leur chien au moment du décès, la perte de leur compagnon leur sera moins difficile à supporter. L'euthanasie se pratique habituellement chez le vétérinaire, en particulier dans les cas où le chien est déjà hospitalisé pour recevoir des traitements. Mais si l'animal vit encore à la maison, vous pouvez demander à votre vétérinaire de se rendre à votre domicile, où votre compagnon sera sans doute plus confortable.

Chapitre 8

....

L'état de santé général

ous ne disposons pas de l'espace suffisant dans le présent ouvrage pour aborder l'ensemble des problèmes de santé que votre chien est susceptible d'éprouver, mais — si j'en juge par les questions que je reçois de mes lecteurs à Dog Fancy — les affections suivantes sont celles dont votre animal risque le plus de souffrir au cours de son existence. Vous pourrez par la suite obtenir vous-même des renseignements supplémentaires.

Q **Qu'est-ce que la toux de chenil et comment puis-je savoir si mon chien en est atteint ?**

R La toux de chenil est habituellement un « rhume de chien » plutôt bénin, et la plupart des cas sont causés par la bactérie

Bordetella bronchiseptica. Toutefois, le virus para-influenza canin, l'adénovirus et le virus de Carré peuvent aussi provoquer les symptômes de la toux de chenil. La plupart des chiens en santé guérissent en l'espace d'une semaine environ, avec ou sans traitement, mais cette affection bénigne des voies respiratoires supérieures peut parfois s'aggraver. Par conséquent, quand un chien est atteint de la toux de chenil, il faut le surveiller de près et bien le soigner.

Le symptôme le plus évident de la maladie est une toux sèche et forte qui se déclare entre cinq et dix jours après une séance de toilettage, un séjour en pension, une hospitalisation ou toute situation où l'animal a été en présence d'autres chiens. Pour la plupart des chiens, il s'agit là du seul symptôme ; autrement, ils continuent à manger, à jouer et à se comporter comme un animal en santé. Toutefois, certains chiens ne toussent pas, et certains autres ont de la fièvre, perdent l'appétit, deviennent léthargiques et présentent un écoulement transparent ou jaunâtre aux yeux ou au nez. Les chiens qui montrent des symptômes bénins ne nécessitent généralement pas de traitement médical, mais des médicaments antitussifs peuvent les soulager et des antibiotiques peuvent être prescrits pour éliminer les agents bactériens responsables de la maladie ainsi que toute infection bactérienne secondaire.

Votre chien devrait être vacciné contre l'adénovirus canin, le virus para-influenza et le virus de Carré dans le cadre de son programme de vaccination. Il existe un vaccin injectable contre la bactérie Bordetella bronchiseptica, mais le moyen de prévention le plus efficace est un vaccin administré par pulvérisation nasale qui immunise l'animal à la fois contre la bactérie Bordetella bronchiseptica et contre le virus para-influenza. Ce vaccin local entre directement en interaction avec les cellules du système immunitaire qui se trouvent dans le nez et dans la gorge et qui constituent la défense de première ligne contre la toux de chenil; il fournit une protection plus rapide et plus efficace contre la maladie. L'inconvénient, toutefois, est que les effets de ce vaccin intranasal ne sont pas aussi prolongés que ceux du vaccin injectable. Les chiens qui ont des contacts réguliers ou occasionnels avec d'autres chiens ont besoin de recevoir le vaccin intranasal contre la toux de chenil à tous les six mois. Assurez-vous donc de garder vos documents à jour.

Q Que peut-on faire pour soulager un chien atteint de dysplasie de la hanche?

R   La dysplasie de la hanche est une malformation des articulations de la hanche qui touche le plus souvent les bergers allemands, les saint-bernard, les retrievers du Labrador, les golden retrievers, les rottweilers et les chiens issus de mélanges de ces races. Les chiens de plus petite taille peuvent aussi souffrir de dysplasie de la hanche, mais ils en présentent moins souvent les symptômes. En raison d'une imbrication anormale entre la cavité articulaire de la hanche et la tête de l'os fémoral, l'articulation se déforme peu à peu, et les pressions anormales qui s'exercent à l'intérieur de cette dernière entraînent une détérioration du cartilage protecteur qui recouvre les surfaces osseuses. Lorsque le cartilage commence à se briser et à se craqueler et que l'articulation devient enflammée, une maladie dégénérative articulaire apparaît (arthrose). La dysplasie de la hanche est diagnostiquée au moyen d'un examen radiographique, mais ce ne sont pas tous les chiens atteints de dysplasie de la hanche qui finissent par souffrir d'une maladie dégénérative articulaire; certains chiens ont une malformation de la hanche, mais n'éprouvent aucune douleur. Les symptômes de la dysplasie peuvent apparaître dès l'âge de quatre mois. Les chiens atteints souffrent de douleurs à la hanche et ont parfois de la difficulté à se lever. Ils hésitent à courir, à sauter ou à gravir des escaliers et ont de la difficulté à marcher sur des surfaces glissantes. Ils ont tendance à garder les pattes de derrière rapprochées l'une de l'autre lorsqu'ils sont en position debout ou qu'ils se déplacent et ils courent en faisant des « sauts de lapin ».

Il existe de nombreuses solutions de nature chirurgicale pour traiter les chiens présentant des symptômes de dysplasie. Les jeunes chiens (âgés de six à douze mois) peuvent subir une opération appelée triple ostéotomie pelvienne, qui consiste à découper les os du bassin en vue de recréer une cavité osseuse plus normale. Cette opération corrige les pressions néfastes qui s'exercent sur l'articulation et permet souvent à celle-ci de se développer normalement chez un chien en pleine croissance. Le remplacement total de la hanche est une autre solution et il peut être réalisé même chez les chiens âgés souffrant d'une dysplasie avancée. L'intervention est souvent une réussite, plus de 90 % des chiens opérés ayant récupéré pleinement et n'éprouvant plus aucune douleur. Il existe une autre solution, appelée arthroplastie par exérèse, consistant à retirer entièrement la tête du fémur. L'espace où s'emboîtaient jadis le fémur et la hanche se remplit alors de tissu cicatriciel, et le chien utilise ses pattes de derrière comme des béquilles. Cette intervention doit être pratiquée sur des animaux de petite taille (moins de 18 kg). Les chiens qui la subissent une démarche quelque peu bizarre, et les muscles de leurs pattes de derrière auront tendance à se rétrécir et à s'affaiblir.

Les traitements médicaux contre la dysplasie de la hanche et les maladies dégénératives articulaires ne peuvent corriger les anomalies anatomiques des hanches, mais ils contribuent à réduire l'inflammation ainsi que les douleurs articulaires, en particulier chez les chiens qui présentent des symptômes modérés. (Pour en savoir plus sur l'arthrose, voir le chapitre 7, « Les effets de la vieillesse », la section « Mon chien souffre d'arthrose. Comment puis-je l'aider ? »)

Q Pourquoi mon chien a-t-il des convulsions ?

R   De nombreux facteurs peuvent provoquer des convulsions chez le chien, notamment les empoisonnements, les traumatismes crâniens, le cancer du cerveau, les coups de chaleur, les maladies du foie, la chute du taux de sucre sanguin (hypoglycémie), la méningite ou l'encéphalite (inflammation de la membrane protectrice de la moelle épinière ou du cerveau) et une contamination par le virus de Carré. Le problème qui cause les convulsions est diagnostiqué par un examen de l'animal, des analyses sanguines et des radiographies. Grâce à la technologie moderne employée aujourd'hui en médecine vétérinaire, votre chien peut même passer un examen par imagerie par résonance magnétique (IRM), qui fournit des images très précises du cerveau. Les antécédents du chien donnent aussi d'importants indices sur la cause des crises. Par exemple, le chien a-t-il été en contact avec un molluscicide tel un produit antilimaces (empoisonnement)? Est-il plutôt âgé (tumeur au cerveau)? Souffre-t-il de diabète (la crise pourrait être attribuable à l'hypoglycémie)?

Le plus souvent, toutefois, la cause des convulsions chez les chiens ne peut être déterminée, et le vétérinaire pose un diagnostic d'épilepsie idiopathique, c'est-à-dire dont la cause reste inconnue. Les crises d'épilepsie surviennent habituellement plus fréquemment chez les jeunes chiens; quand un chien a ses premières crises convulsives lorsqu'il est âgé de plus de cinq ans, il est fort probable que l'épilepsie ne soit pas la cause du problème. Il existe plusieurs formes de convulsions, qui peuvent se manifester par une rigidité ou des spasmes modérés, ou, si on parle de la crise type, par une rigidité élevée pendant laquelle le chien ouvre et ferme la bouche sans arrêt, bave abondamment, urine, défèque, hurle et fait des mouvements désordonnés de pédalage avec les pattes. Certains chiens récupèrent immédiatement après la crise, mais la plupart semblent confus, désorientés et restent prostrés pendant quelques minutes ou quelques heures après l'épisode (et parfois avant). Certains chiens ont une ou deux courtes crises convulsives par année, alors que d'autres en ont au moins trois par jour, pratiquement à répétition. La plupart des crises sont de courte durée, c'est-à-dire de quelques minutes seulement (bien qu'elles semblent interminables au maître traumatisé), mais il peut arriver qu'une crise se prolonge indéfiniment, problème que l'on appelle état de mal épileptique, qui nécessite l'intervention immédiate d'un vétérinaire.

Les épisodes isolés ne sont habituellement pas mortels. Éloignez les objets environnants afin d'éviter au chien de se blesser et empêchez l'animal de débouler l'escalier, et attendez que la crise prenne fin. Évitez de mettre la main dans la gueule de l'animal. En effet, s'il ne risque pas d'avaler sa langue au cours de la crise convulsive, il peut néanmoins vous infliger une vilaine morsure.

Les chiens qui souffrent d'épilepsie grave (ceux qui ont des crises fréquentes ou aiguës) peuvent être traités à l'aide d'un anti-convulsivant, et la plupart d'entre eux doivent prendre ce médicament pendant tout le reste de leur vie. Ce médicament peut être dispendieux, et des analyses de sang doivent être effectuées fréquemment afin de contrôler la concentration du médicament dans le sang de l'animal. Le phénobarbital et le bromure de potassium sont les médicaments les plus fréquemment utilisés, et ils sont parfois administrés en même temps. Le phénobarbital est quelque peu toxique pour le foie, et la plupart des chiens qui en prennent finissent par souffrir de troubles hépatiques. Il existe de nouveaux médicaments moins toxiques et plus efficaces qui sont offerts aux humains, dont le pendant canin devrait apparaître sur le marché dans un avenir rapproché.

Q Comment puis-je savoir si mon chien souffre de granulome de léchage ? En quoi consiste ce problème ?

R Un granulome de léchage est un endroit sur la peau que le chien a léché suffisamment de fois pour causer un volumineux ulcère sanglant. La plupart de ces ulcères apparaissent sur le dessus des pattes de devant ou de derrière, mais ils peuvent survenir partout où le chien est capable de se lécher. Les granulomes de léchage ont des causes médicales et comportementales. Il existe souvent une raison d'ordre médical, comme une blessure, une piqûre de moustique ou une allergie, pour que le chien se mette à lécher un endroit précis. Mais à mesure que le chien lèche la blessure, celle-ci devient de plus en plus sensible, ce qui incite l'animal à y porter encore plus attention. Bientôt, le léchage excessif entraîne l'apparition d'un ulcère. Les vétérinaires traitent les granulomes de léchage à l'aide de nombreuses méthodes différentes. Certains d'entre eux utilisent des bandages, alors que d'autres ont recours à des médicaments corticostéroïdes ou à d'autres anti-inflammatoires afin de réduire l'irritation. L'emploi d'un collier élisabéthain empêche le chien de lécher la blessure jusqu'à ce qu'elle guérisse, mais une fois le collier enlevé, le chien recommence fréquemment à se lécher au même endroit.

Souvent, le meilleur traitement consiste à tenir compte des besoins du chien sur le plan comportemental. Le granulome de léchage peut être le signe que le chien s'ennuie, et constituer une sorte d'appel à l'aide. En lui donnant la possibilité de faire une autre activité, comme s'amuser avec un jouet à mâcher, vous contribuerez presque à tout coup à résoudre le problème. Je recommande de faire faire beaucoup d'exercice aux chiens souffrant d'un granulome de léchage. Ces animaux doivent aussi éviter les régimes alimentaires riches en protéines et hautement énergétiques et disposer de nombreux jouets à mâcher pour occuper leur temps. Les médicaments anxiolytiques peuvent aussi accroître les chances de guérison d'un granulome de léchage, et les antibiotiques accélèrent la guérison de la blessure.

Q Qu'est-ce que les sacs anaux et pourquoi dois-je en faire la vidange ?

R De chaque côté et légèrement au-dessus de l'anus du chien, juste sous la peau, se trouvent deux minuscules sacs comportant chacun un canal qui débouche dans le rectum, juste avant l'embouchure. Les parois de ces deux sacs sont tapissées de cellules qui sécrètent une substance odorante et pâteuse. Il s'agit des glandes anales. Lorsqu'un chien fait ses besoins, les selles qui sont expulsées par l'anus exercent une pression sur les deux sacs, dont le contenu odorant se mêle alors aux selles. On croit qu'il s'agit là d'un moyen pour les chiens de communiquer entre eux : un chien qui entre en contact avec les selles d'un autre chien peut apprendre bien des choses sur son congénère à partir de l'odeur unique de la substance sécrétée par ses glandes anales.

Or il arrive que certains chiens perdent, avec le temps, la capacité de vider leurs sacs anaux. Chez les petites races, dont les caractéristiques physiques ont été artificiellement modifiées par des processus de sélection, les canaux reliés à ces sacs sont souvent trop étroits pour permettre un vidage adéquat. Mais les chiens de toutes les races peuvent éprouver ce problème. Lorsque les sacs sont engorgés — on dit alors qu'il y a impaction —, ils deviennent très douloureux, et la plupart des chiens essaient de soulager l'inconfort en se traînant le derrière par terre et en se léchant et en se mordillant la région anale. Votre vétérinaire peut procéder périodiquement à la vidange manuelle des sacs anaux et déterminer s'il y a présence d'une infection ou d'une autre maladie.

Deux choses peuvent aider à prévenir le problème : premièrement, assurez-vous que les selles de votre chien sont fermes. Pour
obtenir ce résultat, vous pouvez ajouter à son alimentation de la
nourriture riche en fibres. Demandez à votre vétérinaire de vous
renseigner sur les aliments conçus pour les chiens qui ont un
excédent de poids ou qui souffrent de diabète. Les fibres contenues dans ces aliments contribuent à raffermir les selles, ce qui
assure l'application d'une pression adéquate sur les sacs anaux
lors de la défécation. Deuxièmement, assurez-vous que votre
chien fait suffisamment d'exercice. En effet, une musculature en
santé permet au chien d'évacuer normalement, ce qui favorise
une vidange adéquate et régulière des sacs.

L'ablation chirurgicale des sacs est une possibilité, mais cette
intervention nécessite une incision des tissus entourant l'anus
qui risque de causer des dommages nerveux permanents entraînant chez le chien une perte de la faculté de se retenir d'évacuer.
Par conséquent, je ne recommande la chirurgie qu'en dernier
recours, pour les chiens souffrant d'infections chroniques des
sacs anaux.

Q Mon chien souffre d'une infection urinaire. Quelle pourrait en être la cause ?

R L'infection urinaire est une infection bactérienne qui affecte la
paroi intérieure de la vessie et de l'urètre (le canal par lequel s'écoule
l'urine lorsqu'elle est évacuée du corps). Les infections urinaires sont
plus fréquentes chez les femelles. Elles peuvent se déclarer à tous les
âges, mais les chiens vieillissants ont un plus grand nombre de pro-

blèmes de santé, comme des tumeurs et des calculs vésicaux, qui les prédisposent à ce type d'infection. Les symptômes d'une infection urinaire sont notamment les mictions fréquentes et peu abondantes, la difficulté à uriner, la présence de sang dans l'urine ou la mauvaise odeur de celle-ci et l'incontinence urinaire, que l'on confond souvent avec un mauvais apprentissage de la propreté. Étant donné que le bien-être de votre chien risque d'être compromis, prenez immédiatement rendez-vous avec votre vétérinaire. Les vétérinaires diagnostiquent habituellement ce type d'infection en procédant à l'analyse d'un échantillon d'urine afin de déterminer s'il y a présence de sang, de bactéries et d'autres anomalies. Lorsque le diagnostic est difficile à poser, l'échantillon d'urine doit être envoyé à un laboratoire pour qu'une culture soit réalisée.

Dans la plupart des cas, les infections urinaires ne surviennent qu'une seule fois, et les traitements antibiotiques peuvent en venir à bout sans complications. Une infection urinaire qui ne répond pas aux antibiotiques constitue un problème plus compliqué. Il faut alors procéder à d'autres tests, comme une culture d'urine et des radiographies de la vessie.

Q Qu'est-ce que l'atopie et comment la traite-t-on ?

R L'atopie est une allergie à certaines substances qui sont présentes dans l'environnement de votre chien, comme les pollens, les arbres, les plantes nuisibles, la moisissure et les acariens de poussières, pour ne nommer que celles-là. En général, un ou deux syndromes peuvent survenir : des irritations et des rougeurs cutanées qui démangent (et qui finissent souvent par être infectées par des bactéries ou des champignons) et une conjonctivite (rougeur et enflure des deux yeux, souvent accompagnées d'un écoulement épais jaune ou vert). Les chiens qui souffrent d'une irritation de la peau ont souvent aussi les oreilles atteintes. L'atopie peut toucher toutes les races de chiens. Les symptômes commencent habituellement à se manifester entre l'âge de un et trois ans, mais sont parfois si bénins qu'ils passent inaperçus, même aux yeux du propriétaire de l'animal. Les symptômes d'irritation cutanée comprennent les grattements, les frottements et le léchage, en particulier entre les doigts et sur les pattes, sous les aisselles et dans la région génitale. Les symptômes sont habituellement saisonniers et surviennent au printemps et à l'automne.

Les symptômes de l'atopie peuvent être traités ; on peut réduire l'inflammation à l'aide d'un antihistaminique pendant la période où l'agent allergène est présent dans l'air (au début du printemps, par exemple) et guérir les infections bactériennes secondaires au moyen d'un antibiotique. Toutefois, certains chiens ne peuvent être soulagés par un traitement symptomatique, car leurs symptômes s'aggravent chaque année jusqu'à ce que les médicaments n'aient plus aucun effet. Dans ces cas, l'immunothérapie, que l'on appelle aussi hyposensibilisation, s'impose.

La première étape consiste à déterminer avec exactitude, à l'aide d'une des deux méthodes de détection existantes, à quoi le chien est allergique. On peut procéder à une analyse de sang afin de vérifier la présence d'anticorps associés à des substances particulières. Ce type d'analyse est simple et ne nécessite qu'un seul échantillon sanguin de l'animal. Par contre, cette méthode ne permet de détecter qu'un nombre limité d'irritants potentiels, et les faux positifs sont fréquents (il s'agit de résultats

qui concluent erronément que le chien est allergique à une substance donnée).

Il existe aussi une méthode plus effractive et plus longue,
soit le test cutané par injection intradermique, identique à celui
qui est pratiqué pour détecter les allergies chez les humains.
Après avoir injecté une petite quantité de substance allergène
dans le derme du chien, on observe le lieu de la piqûre pour voir
s'il y a des signes d'irritation. Habituellement, on teste la réaction du chien à un certain nombre d'allergènes, et les substances injectées dans la peau sont disposées selon une grille pour
qu'on puisse aisément identifier chacune d'entre elles. Le test
cutané par injection intradermique est la méthode la plus pré-
cise pour diagnostiquer les allergies cutanées des chiens, mais
il exige que l'animal soit sous sédatif ou sous anesthésie. Il faut
aussi raser une petite surface de poil. Une fois les substances
allergènes identifiées, le traitement d'hyposensibilisation commence. Une petite quantité de chaque substance allergène est
alors injectée sous la peau du chien à raison de doses de plus
en plus importantes échelonnées sur un laps de temps donné
dans le but de réduire la sensibilité de l'animal. Bien que cette
technique demande beaucoup de temps et apparaisse coûteuse
au début, elle entraîne une réduction des démangeaisons chez
60 % à 80 % des chiens traités. La réponse au traitement est habituellement lente, entre trois mois et plus d'un an, mais sans
lui, bien des chiens seraient laissés à un triste destin : une maladie de peau qui s'aggrave progressivement et contre laquelle
les médicaments sont impuissants.

Q   Mon chien boite. Qu'est-ce qui cause la boiterie et que peut-on faire pour soulager l'animal?

R   Un chien peut boiter pour bien des raisons, qui elles-mêmes dépendent d'un certain nombre de facteurs. Votre chien est-il jeune ou âgé? Ses douleurs sont-elles apparues soudainement ou graduellement? La douleur est-elle intermittente ou constante? Si elle est intermittente, est-elle plus aiguë durant l'exercice ou lorsque l'animal est immobile, comme au réveil? Est-ce toujours la même patte qui fait mal? Le chien boite-t-il légèrement, est-il capable d'utiliser quelque peu le membre atteint ou refuse-t-il complètement de se servir de la patte endolorie? La boiterie nuit-elle à sa capacité d'accomplir ses activités de tous les jours, comme se nourrir ou faire des promenades à l'extérieur?

La boiterie peut être attribuable à une anomalie du squelette, des muscles, des ligaments et des tendons ou du système nerveux. Votre vétérinaire procédera à un examen approfondi de l'animal en vérifiant non seulement le membre atteint, mais toutes les autres parties de son corps. Il observera votre chien lorsqu'il est en position debout et lorsqu'il marche, puis palpera soigneusement la patte qui est à l'origine de la boiterie pour voir s'il y a des régions douloureuses, enflées ou dégageant une chaleur inhabituelle. Le vétérinaire fera aussi des tests pour vérifier l'état du système nerveux de l'animal. Selon les résultats de l'examen physique, des rayons X pourraient également se révéler nécessaires.

L'âge de votre chien constitue un important indice pour expliquer la cause de la boiterie. Les chiens âgés de moins de douze mois sont sujets à un certain nombre de troubles associés à la croissance et au développement des os des pattes. Ils sont plus susceptibles que les chiens adultes de souffrir de problèmes osseux causés par des carences nutritionnelles. Mais ils risquent moins d'être atteints de cancer, même si le cancer des os peut survenir — bien que rarement — chez les jeunes chiens. Les chiens adultes, c'est-à-dire âgés de plus de douze mois, sont plus susceptibles de souffrir d'une détérioration des articulations, d'un déchirement des ligaments et des tendons ainsi que d'un cancer. Dans la plupart des cas, un chien se mettra à boiter à la suite d'un traumatisme modéré subi à un os, à un ligament, à un tendon ou à une articulation et se remettra au bout de quelques jours de repos. Votre vétérinaire pourra vous prescrire des médicaments pour soulager la douleur pendant le processus de guérison. Les fractures sont habituellement aisément détectables par le vétérinaire, à quelques exceptions près. Étant donné que les chiens peuvent souffrir d'autres affections d'ordre orthopédique, il importe de faire examiner votre animal par un vétérinaire afin de déterminer la cause exacte de la boiterie.

Q Mon chien a un souffle cardiaque. Quelle est la gravité de cette affection?

R Comme vous l'avez probablement appris dans vos cours de biologie à l'école secondaire, le cœur comporte quatre compartiments — deux oreillettes et deux ventricules —, et les valves qui se trouvent entre ces différents compartiments contrôlent le débit du sang à l'intérieur du cœur; le sang est ensuite propulsé vers les poumons et le reste de l'organisme. Un souffle cardiaque est tout simplement une vibration du muscle cardiaque causée par une circulation anormale du sang à l'intérieur du cœur. Les souffles cardiaques sont classifiés selon l'ampleur et l'intensité de la vibration, sur une échelle de 6. Un souffle de niveau 1 (1/6) est à peine audible au stéthoscope. Un souffle de niveau 3 s'entend très facilement, tandis qu'un souffle de niveau 4 peut être perçu non seulement au stéthoscope, mais aussi en plaçant les mains sur la poitrine du chien. Les souffles cardiaques de niveau 6 (6/6) sont très intenses et peuvent s'entendre sans l'aide d'un stéthoscope simplement en appuyant l'oreille contre la poitrine de l'animal ; on peut aussi sentir la vibration avec les mains.

Le souffle au cœur peut avoir d'innombrables causes. Certains sont attribuables à une anomalie congénitale, c'est-à-dire une malformation du muscle cardiaque et des vaisseaux sanguins. L'anémie ainsi que la fièvre peuvent entraîner un souffle au cœur, et certains chiots présentent parfois un léger souffle au cœur inexpliqué qui disparaît lorsqu'ils grandissent. Une inflammation des valves cardiaques (endocardite) et la présence de cicatrices permanentes sur les valves (endocardiose) peuvent aussi occasionner un souffle au cœur. De nombreux chiens âgés finissent par souffrir de ces affections à la suite d'une maladie dentaire, source fréquente de bactéries qui causent une infection des valves après avoir été véhiculées par le sang. La myocardiopathie, qui se manifeste par un épaississement ou un amincissement anormal de la paroi musculaire du cœur, peut entraîner un souffle cardiaque, mais ses causes sont encore mal comprises. La maladie du ver du cœur peut elle aussi causer un souffle, non seulement parce que les vers bloquent la circulation du sang, mais aussi parce que le cœur augmente de volume en raison de l'effort exigé pour pomper le sang malgré l'obstruction provoquée par les vers.

Des radiographies du cœur permettront à votre vétérinaire d'obtenir de bonnes indications sur la cause probable du souffle cardiaque. Une échocardiographie (exploration du cœur au moyen d'un appareil à ultrasons) peut être effectuée sur les chiens et servir à mesurer toutes les parties anatomiques du cœur, ainsi que la vitesse à laquelle le sang circule dans chacune d'elles. La cardiologie vétérinaire est une spécialité qui a fait beaucoup de progrès, et les causes de la plupart des souffles cardiaques canins peuvent être traitées avec succès. Toutefois, il est possible que votre chien doive par la suite prendre des médicaments et qu'un suivi constant soit nécessaire pour le reste de ses jours.

Q Qu'est-ce que l'éversion de la glande lacrymale de la troisième paupière ?

R L'éversion de la glande lacrymale de la troisième paupière (ou prolapsus de la glande nictitante, aussi appelé « œil rouge cerise ») est une affection qui se manifeste par un gonflement de la glande qui est normalement dissimulée sous la troisième paupière — cette bande de tissu blanc qui est parfois visible dans l'angle interne de l'œil de votre chien —; cette glande fait alors saillie (prolapsus) et émerge de sous la troisième paupière. Une excroissance bulbeuse de couleur rose apparaît dans le coin intérieur de l'œil du chien, et l'œil tout entier est parfois rouge et irrité. À mesure que la glande enfle et s'assèche, l'apparence de l'œil se dégrade.

Cette affection survient habituellement chez les jeunes chiens (âgés de six mois à deux ans), et plusieurs races y sont particulièrement prédisposées, notamment l'épagneul cocker, le bulldog, le beagle, le chien de Saint-Hubert, le lhassa-apso, le shih-tzu et les races brachycéphales (les chiens dotés de museaux courts et aplatis). Le prolapsus de la glande nictitante peut atteindre un œil ou les deux yeux et peut être très inconfortable pour le chien. Étant donné que les chiens plus âgés présentent un risque accru de cancer de la glande nictitante, une biopsie s'impose afin de déterminer s'il s'agit d'un prolapsus ou d'un cancer.

Certains chiens semblent n'être aucunement incommodés par l'éversion de la glande lacrymale de la troisième paupière, mais le meilleur traitement reste la chirurgie. Traditionnellement, les vétérinaires se bornaient à retirer la glande hypertrophiée, mais nous savons aujourd'hui que jusqu'à 50 % du liquide lacrymal servant à lubrifier l'œil est sécrété par cette glande. Par conséquent, son ablation risque d'entraîner une diminution de la lubrification de l'œil à mesure que le chien prendra de l'âge. Aujourd'hui, l'intervention chirurgicale consiste à fixer la glande sous la troisième paupière en la suturant en place.

Votre vétérinaire pourra prescrire des médicaments pour réduire l'inflammation de l'œil, avant ou après l'intervention chirurgicale, et suggérer que votre chien porte un collier élisabéthain pour l'empêcher de se gratter l'œil pendant la guérison. La chirurgie ne donne pas toujours les résultats escomptés, car on constate un taux de résurgence de 5 % à 10 % après l'opération. Lorsque cela se produit, les vétérinaires ophtalmologistes recommandent de procéder de nouveau à l'opération afin de sauvegarder cette importante glande.

Conclusion

Il existe une dernière question que les lecteurs de Dog Fancy me posent souvent : si les soins de santé holistiques sont plus avantageux pour leur chien que la médecine vétérinaire traditionnelle. Médecine holistique, alternative, parallèle, douce, naturelle, tous ces adjectifs ont des définitions qui varient selon la personne qui les emploie. On ne compte plus les discussions et les débats qui ont cours tant chez les vétérinaires que chez les propriétaires de chiens à propos des mérites et des inconvénients associés à ces traitements, dont beaucoup diffèrent grandement de ceux que propose la médecine vétérinaire occidentale traditionnelle. De nombreux vétérinaires de l'école traditionnelle s'inquiètent de l'emploi de médicaments et de traitements qui n'ont pas été éprouvés, alors que ceux et celles qui y ont recours affirment que ces méthodes ne peuvent être testées au moyen des méthodes traditionnelles. En attendant, vous devez déterminer quels sont les traitements qui sont les plus appropriés pour votre chien. Je vous recommande de trouver un vétérinaire dont les préoccupations sont fondamentalement holistiques et à qui il importe non seulement que votre chien reçoive ses vaccins à la date prescrite, mais aussi que l'animal mène une existence confortable, qu'il soit heureux, en santé et bien adapté à la vie au sein de sa famille d'adoption. Que votre vétérinaire emploie des techniques traditionnelles ou non traditionnelles, il devrait se montrer prêt à envisager toutes les formes de traitement que vous considérez comme les plus appropriées pour votre chien et travailler en collaboration avec d'autres vétérinaires qui offrent des services ou des traitements qu'il n'offre pas.

L'entretien d'un chien est une énorme responsabilité, et nous oublions souvent à quel point il peut être difficile de lui prodiguer les soins adéquats. Soyez prêt à considérer de nouveaux produits et de nouvelles méthodes susceptibles d'améliorer la santé et la qualité de vie de votre animal. En outre, votre vétérinaire ne doit pas être votre seule source d'information en matière de soins canins. Même avec les meilleures intentions du monde, il ne pourra jamais vous apprendre tout ce que vous devriez savoir sur la santé et le bien-être des chiens. Pour vous informer, il existe toutes sortes de ressources, comme les livres, les sites Web, les revues et même les autres propriétaires de chiens.

J'ose espérer que ce livre comptera parmi vos ressources les plus fiables. Je vous ai fait partager les connaissances et l'expérience que j'ai acquises non seulement au cours de mes études en médecine vétérinaire et de mes constantes recherches, mais aussi, et surtout, grâce à mes nombreux échanges avec les propriétaires de chiens qui, au fil des ans, m'ont confié leurs fidèles compagnons. Enfin, mes patients à fourrure sont aussi pour moi une source intarissable de connaissances.

Table des matières

IMPRIMÉ AU CANADA